Deutsche
Denker und Forscher

Deutsche
Denker und Forscher

MENO SPANN *and* C. R. GOEDSCHE

Northwestern University

NEW YORK

Appleton-Century-Crofts, Inc.

Preface

To the Student:

Deutsche Denker und Forscher consists of eight original essays, dealing with the achievements of outstanding Germans. These essays are to give you practice in the reading of expository prose, that is, in that style of writing which you encounter in publications of a reportorial, descriptive, or scientific nature. It is a language with a style of its own, found in newspapers and magazines, in biographical and critical writings in general, and in publications in the fields of natural and social sciences in particular. The book is intended for use after you have gained some familiarity with the rudiments of German, and it should also help you acquire such a reading knowledge of that language as is usually expected of graduate students in the natural or social sciences.

To assist you in the translation, footnotes are given, particularly in the early essays. Here you will find commentaries and translations of syntactical difficulties wherever they occur the first time. In such cases, frequent reference is made to the "Translation Aids" following the texts. Words which we feel should become part of your vocabulary are translated. Those of lesser frequency are given in parentheses.

There are three types of exercises at the end of each essay except the last: Questions to test your comprehension of the text; a Vocabulary Review to check your advance

v

in vocabulary mastery, particularly of such words which appear again in subsequent essays; Practice Sentences to give you additional practice in the recognition and translation of syntactical constructions to which your attention is called in the footnotes. The final essay is followed only by questions.

The end vocabulary omits the 500 most frequently used words, unless such a word is used with an uncommon meaning, e.g. *treatise* for **die Arbeit.** Cognates which can be easily recognized have also been omitted.

The authors acknowledge with thanks the valuable assistance given them by Professor Edwin H. Zeydel.

M. S.
C. R. G.

Contents

Deutsche
Denker und Forscher

✤ 1 ✤

WILHELM UND JAKOB GRIMM

Eine Märchensammlung[1]

Die Märchensammlung der Brüder Grimm erschien[2]
zur Zeit der napoleonischen Kriege; der zweite und letzte
Band[3] im Jahre der Schlacht von Waterloo, 1815.

Seit dieser Zeit sind die Grimmschen[4] Märchen im
ganzen Abendland bekannt geworden.[5] Es gibt[6] wohl 5
kein Kind, das nicht die Geschichten von Schneewittchen
bei den sieben Zwergen, von Hänsel und Gretel, von Rotkäppchen und dem bösen Wolf und von Aschenputtel
kennt.

Die Märchensammlung war nun aber nicht die einzige[7] 10
bedeutende Leistung[8] der Brüder Grimm. Sie haben als
Gelehrte,[9] als Begründer der germanistischen Wissenschaft,[10] noch viel mehr geleistet. Jakob Grimm schrieb die
erste große historische Grammatik der deutschen Sprache
und begründete damit die historische Sprachforschung, 15

[1] die **Märchensammlung** collection of fairy tales
[2] **erscheinen** to appear   [3] der **Band** volume
[4] **Grimmschen** Grimm's (*The suffix -sche is added to a personal noun
when the latter is used as an adjective*)
[5] **sind bekannt geworden** have become known; *s.* #1a
[6] **Es gibt** there is *when the object is in the singular;* there are *when the
object is plural*
[7] **einzig** only   [8] die **Leistung** achievement
[9] der **Gelehrte** scholar
[10] **germanistische Wissenschaft** Germanics, *science concerning German
and Germanic philology, i.e. a study of language, literature, and culture*

1

wie wir sie heute kennen. Er benutzte [11] die wissenschaftliche, vergleichende Methode und hielt [12] sich streng an
die sprachwissenschaftlichen [13] Tatsachen. Das war zu
Grimms Zeiten, wo sich Wissenschaftler noch auf meta-
5 physische Spekulationen verließen,[14] eine fast revolu-
tionäre Neuerung.

Den Geist [15] dieser Zeit zeigt die folgende Bemerkung [16]
Hegels, des großen Philosophen. Ein Kritiker machte Hegel
darauf aufmerksam,[17] daß die historischen Tatsachen nicht
10 mit seiner Geschichtsphilosophie übereinstimmten.[18]
Hegel soll [19] geantwortet haben: „Um so schlimmer [20] für
die Tatsachen." So dachte der größte Philosoph jenes Zeitalters.[21] Man sieht, wie die Brüder Grimm ihrer Zeit voraus
waren.

15 Außer der Märchensammlung und der historischen
Grammatik schenkten die Brüder ihrem Volke auch das
große Wörterbuch, das als Grimms Wörterbuch jedem gebildeten Deutschen bekannt ist. In diesem Wörterbuch
sollte [22] jedes Wort der deutschen Sprache in seiner hi-
20 storischen Entwicklung [23] gegeben werden. Die Brüder be-
gannen die Arbeit und entwickelten die Methode. Ursprünglich [24] planten sie ein Wörterbuch in vier Bänden.
Die Arbeit sollte in fünf Jahren beendet sein, und im Jahre
1852 wurde der erste Band veröffentlicht.[25] Seit dem Tode

---

[11] **benutzen** to use, employ   [12] (sich **halten an** to keep to)
[13] **sprachwissenschaftlich** (language-scientific) linguistic
[14] **sich verlassen auf** to rely on
[15] *Find the subject of this sentence! The form* **den** *tells us that* **Geist**
(spirit) *is not the subject but the object; s.* #7a
[16] die **Bemerkung** remark
[17] **machte Hegel darauf aufmerksam** called Hegel's attention to the
fact; *s.* #12a
[18] **überein-stimmen** to agree   [19] **soll** is said to; *s.* #5a
[20] **um so schlimmer** so much the worse   [21] das **Zeitalter** era
[22] **sollte gegeben werden** was to be given; *s.* #5b
[23] die **Entwicklung** development   [24] **Ursprünglich** Originally
[25] **wurde . . . veröffentlicht** was published; *s.* #1b

der Brüder haben nun schon vier Generationen von Ge-[26] lehrten an der Vollendung des Riesenwerkes gearbeitet. Man nimmt heute an,[26] daß das vollendete Werk aus 32 Bänden bestehen wird. Trotzdem es bis heute nicht vollendet ist, so ist doch das Wörterbuch von größtem Nutzen [27] für Gelehrte, Schriftsteller [28] und Dichter.[29]

Der Weltruhm der Brüder Grimm beruht aber nicht nur auf ihrer Gelehrtenarbeit, sondern auch auf ihrer Märchensammlung. Mit ihren Zeitgenossen,[30] den Dichtern, Historikern und Philologen der Romantik,[31] teilten die Brüder Grimm die Liebe zum einfachen Volke und zu der Dichtung, in der sein Geist [32] lebte, wie Volksliedern, Volksmärchen und Volksbüchern. Wie ihre Freunde, die Dichter Arnim und Brentano, Volkslieder sammelten, so sammelten die Brüder Grimm Volksmärchen. Sie dachten dabei [33] nicht an ihren eigenen Ruhm, sondern an die Erhaltung [34] einer Dichtung, die nur in der mündlichen Tradition des Volkes zu finden war.[35] Es war ihr Ziel,[36] diese Märchen durch ihre Veröffentlichung auch bei den Gebildeten bekannt zu machen und sie davor [37] zu retten, vergessen zu werden.

In vergangenen Jahrhunderten waren die Märchen bei Jung und Alt, Hoch und Niedrig [38] beliebt gewesen, aber dann kam das achtzehnte Jahrhundert, das Jahrhundert

[26] an-nehmen to accept; *here* assume
[27] der Nutzen usefulness
[28] (der Schriftsteller writer)   [29] der **Dichter** poet
[30] der Zeitgenosse contemporary
[31] die **Romantik** Romanticism, *literary movement extending from the end of the 18th through the first decades of the 19th century*
[32] der Geist ghost; spirit; *here* genius   [33] **dabei** in so doing
[34] (die **Erhaltung** preservation)
[35] zu finden war could be found; *s.* #4   [36] das **Ziel** aim, goal
[37] sie davor zu retten, vergessen zu werden to save them from being forgotten; *s.* #12b
[38] **Hoch und Niedrig** (high and low) rich and poor

der Aufklärung,[39] mit der Überbetonung des Verstandes [40] und seiner aristokratischen „Verfeinerung" [41] des Geschmackes. Die Gebildeten lächelten jetzt über diese Märchen und vergaßen sie zusammen mit den alten Volks-
5 liedern. Nur bei dem Volke, in den Spinnstuben und unter der Dorflinde, bei Bauern, Handwerkern und anderen einfachen Menschen waren die Märchen noch zu Hause. Dort fanden sie die Brüder Grimm und schrieben sie auf, wie sie ihnen erzählt wurden.[42] Manche Märchen [43] haben
10 aber auch ihre Freunde für sie gesammelt.

Alle Volkskunst ist einfach und hält an alten Traditionen fest. So finden wir auch im Märchen stereotype Formen für Charaktere und Schauplätze.[44] Die meisten Märchen haben das Dorf oder den Hof als Hintergrund, und die
15 Zahl der Personen [45] ist klein. Im Märchendorf wohnen natürlich eine größere Anzahl von Charakteren als am Hof, den der Märchenerzähler nie mit eigenen Augen gesehen hatte. Im Dorf befinden sich [46] Bauern und Bäuerinnen, Schuhmacher, Schneider,[47] Schmiede,[48]
20 Musikanten, Hirten,[49] zurückgekehrte Soldaten usw.,[50] und eine Tierwelt, die sich vom Wolf im benachbarten Wald bis zur Katze hinter dem Ofen erstreckt. Am Hof leben König und Königin, Prinzen und Prinzessinnen in großer Pracht [51] und mit Kronen auf den Köpfen, die sie
25 auch im Bett nicht abnehmen. Von den anderen Menschen am Königshof kommen nur ein paar Diener, der Koch, der Jäger und hin und wieder [52] ein Ratgeber vor.[53] Die Stadt

---

[39] die **Aufklärung** Enlightenment, *philosophic movement of the 18th century*
[40] (die **Überbetonung des Verstandes** over-emphasis on rational thinking)
[41] (die **Verfeinerung** refinement)   [42] *s.* #1b   [43] *s.* #7b
[44] der **Schauplatz** scene   [45] die **Person** *here* character
[46] sich **befinden** to be found; *s.* #2   [47] der **Schneider** tailor
[48] der **Schmied** blacksmith   [49] der **Hirt** shepherd
[50] **usw.** = **und so weiter** and so on   [51] (die **Pracht** splendor)
[52] **hin und wieder** now and then   [53] **vor-kommen** to appear

und ihre Bewohner spielen im deutschen Volksmärchen keine besondere Rolle.

Unter den stereotypen Märchenlandschaften verdient der Wald an erster Stelle genannt zu werden,[54] der dunkle Märchenwald, in dem sprechende Tiere, Riesen, Hexen,[55] Feen und Elfen wohnen. Auch hier zeigt es sich,[56] daß Liebe zum Walde ein charakteristischer Zug [57] deutscher Literatur ist. In keiner der europäischen Literaturen spielt der Wald eine so große Rolle wie in der deutschen. Auch die deutsche Sprache zeigt diese Liebe zum Walde in Wortbildungen wie Waldeinsamkeit,[58] Waldesdunkel, Waldesnacht.

Manche Märchen, wie Schneewittchen und Hänsel und Gretel, könnte man Waldmärchen nennen, denn [59] in ihnen ist der Wald mehr als ein Schauplatz und Hintergrund der Handlung, er ist ein Teil der Handlung selbst. Außerdem [60] gibt der Wald diesen Märchen ihre eigenartige Stimmung.

In der Welt des Märchens herrscht poetische Gerechtigkeit. Der unschuldig Verfolgte [61] wird am Ende vom Tode errettet oder aus tiefem Elend [62] auf die Höhen des Glücks geführt. Die Schlechten [63] bekommen ihre wohlverdiente, manchmal recht [64] grausame Strafe. Schneewittchens Stiefmutter z.B.[65] muß bei der Hochzeit [66] ihrer Tochter in glühenden Pantoffeln [67] tanzen, bis sie tot umfällt. Im Märchen vom Aschenputtel picken die Tauben

---

[54] s. #1b   [55] (die Hexe witch)
[56] sich zeigen to be evident; s. #2   [57] (der Zug feature)
[58] die Waldeinsamkeit solitude of the woods   [59] denn for
[60] Außerdem Moreover
[61] der unschuldig Verfolgte (the innocently persecuted man) the innocent man who is persecuted; s. #13a
[62] das Elend misery   [63] s. #13a
[64] recht adj. right; here adv. rather
[65] z.B. = zum Beispiel for example   [66] die Hochzeit wedding
[67] (der Pantoffel slipper)

den bösen Schwestern beide Augen aus, was übrigens
symbolisch zu verstehen ist,[68] denn sie sind ihr ganzes
Leben „blind" gewesen. Sie haben nicht sehen können,
daß Aschenputtel so viel schöner und besser war als sie.
5 Deshalb sollen sie auch im wirklichen Sinne des Wortes
blind werden.

Es ist selbstverständlich, daß Gelehrte wie die Brüder
Grimm eine literarische Erscheinung [69] wie die Märchen
wissenschaftlich untersuchten und durch eine Theorie zu
10 erklären versuchten. Sie sahen in den Volksmärchen Überreste uralter germanischer [70] Sagen und Mythen. Die Urform [71] des Märchens vom Dornröschen z.B. war für sie die
Mythe vom Sonnengott, der mit seinem Lichtschwert
durch den Eispanzer der Jungfrau Erde schneidet und sie
15 so aus ihrem Zauberschlaf [72] erlöst. Die erwachte Schöne
schenkt nun ihrem Geliebten den Reichtum der Erde,
d.h.[73] alles, was sie an Blumen und Früchten besitzt. Dies
schien den Brüdern eine germanische Urmythe gewesen
zu sein, die sich nach zwei Richtungen hin [74] entwickelt
20 hatte, nämlich zu einer Sage und zu einem Märchen. In der
Sage ist der Sonnengott zu Siegfried und die schlafende
Erde zur Walküre [75] Brunhild geworden; im Märchen sind
der Eispanzer der Mythe und die Feuerwand der Sage zur
Dornenhecke geworden. Anstatt eines Sonnengottes oder
25 eines Helden finden wir einen schönen jungen Prinzen.

[68] ist . . . zu verstehen must be understood; *s.* #4
[69] (die **Erscheinung** phenomenon)
[70] germanisch Germanic *or* Teutonic, *designating language and culture of
the ancestors of English-, Dutch-, German-, and Scandinavian-speaking
peoples*
[71] (die **Urform** original form; archetype)
[72] (der **Zauberschlaf** enchanted sleep)
[73] d.h. = das heißt that is to say
[74] nach zwei Richtungen hin in two directions (*The adverb* hin *expresses
motion away from the speaker and is not translated*)
[75] die **Walküre** Valkyrie, *battle-maiden of Wodan who conducted fallen
warriors to Valhalla*

Solche Theorien [76] kann die moderne Märchenforschung [77] nicht als wissenschaftlich annehmen.[78] Alte
Mythen und Sagen leben wohl manchmal in Form eines
Märchens weiter, aber die Brüder sind mit ihrer Theorie
viel zu weit gegangen. Man kann sogar sagen, sie haben 5
den Ursprung [79] und den Charakter der Märchen nicht
richtig verstanden. Das war natürlich nicht die Schuld [80]
der Brüder. Man vergesse nicht,[81] wieviel Arbeit in der
Märchenforschung in den hundert Jahren, die seit dem
Tode der Brüder vergangen sind, geleistet worden ist.[82] 10
Außerdem kennen wir heute die Märchen fast aller Völker
der Erde. Wir wissen etwas, was die Brüder zu ihrer Zeit
nicht wissen konnten: Für viele Märchen ihrer Sammlung
finden sich [83] Varianten bei fast allen Völkern der Erde.
Die Märchen können also nicht eine Weiterentwicklung 15
altgermanischer Mythen sein.

Gewisse [84] Negerstämme in Zentralafrika z.B. haben
eine Variante zum Beginn des Schneewittchenmärchens.
Das Negermärchen erzählt von einem Häuptling,[85] dem
ein Sohn geboren wurde, der außerordentlich [86] schön war 20
und außerdem einen goldenen Stern auf der Stirn [87] hatte.
Die Schönheit des Kindes macht den Vater eifersüchtig,[88]
und er schickt den Jungen mit einem Krieger in den Wald,
wo dieser den Häuptlingssohn töten soll.[89] Den Krieger
aber rühren [90] die Schönheit und die Bitten des Kleinen, 25
und er läßt ihn laufen. „Die wilden Tiere werden das tun",

---

[76] s. #7b
[77] die **Märchenforschung** research in the field of fairy tales
[78] **an-nehmen** to accept   [79] der **Ursprung** origin
[80] die **Schuld** fault
[81] **Man vergesse nicht** One should not forget; s. #6a
[82] **leisten** to accomplish; *here* to do; s. #1b   [83] s. #2
[84] **Gewisse** Certain   [85] (der **Häuptling** chief)
[86] **außerordentlich** extraordinarily   [87] (die **Stirn** forehead)
[88] (**eifersüchtig** jealous)   [89] s. #5a
[90] (**rühren** to move; *translate passively:* The warrior is moved by)

so denkt er, „wozu [91] ich nicht dás Herz habe." Bis dahin [92] haben wir eine ganz klare Variante zur Schneewittchenge-schichte, aber dann geht das Negermärchen ganz anders weiter als bei den Brüdern Grimm. Übrigens finden sich
5 für den Rest des Negermärchens auch Varianten in an-deren Grimmschen Märchen.

Wie erklärt sich diese sonderbare [93] Tatsache? Die Ethnologen haben eine Theorie aufgestellt, die das Rich-tige zu treffen scheint.[94] Sie haben darauf hingewiesen,[95]
10 daß viele Märchenmotive im Seelenleben des primitiven Menschen ihren Ursprung haben. Die Beseelung [96] der Natur z.B. ist allen Primitiven gemein. Tiere und Steine sprechen. In Bergen, im Meer und in der Luft, in Bäumen, Flüssen und Quellen leben gute oder böse Geister. Die
15 menschliche Seele erscheint als Vogel. Diesen Seelenvogel finden wir bei den alten Ägyptern, bei afrikanischen Ne-gern, nordamerikanischen Indianern und in Grimms Märchen Nummer siebenundvierzig. In einem Neger-märchen erscheint die Seele einer ermordeten Frau als
20 Vogel, der vor dem mörderischen Ehemann hin und her [97] flattert. Der Mörder läuft hinter dem Vogel her, um ihn zu fangen, und kommt so in das Dorf seiner Frau, wo ihn die Verwandten der Toten erschlagen. In Grimms Märchen erscheint die Seele eines Ermordeten gleichfalls [98] als
25 Vogel, um an der Mörderin—es ist die böse Stiefmutter— Rache zu nehmen.

Eine wichtige Tatsache muß noch erwähnt [99] werden.

---

[91] **wozu** for which   [92] **Bis dahin** (Up to there) So far
[93] **sonderbar** odd, strange
[94] das **Richtige zu treffen scheint** (seems to hit the right thing) seems to provide the right answer
[95] **haben darauf hingewiesen** have pointed out; *s.* #12c
[96] (die **Beseelung** animation)   [97] **hin und her** back and forth
[98] **gleichfalls** likewise   [99] **erwähnen** to mention; *s.* #1b Note

Man sollte nie ein ganzes Märchen mit einem anderen Märchen vergleichen,[1] sondern nur die Elemente, aus denen die Märchen bestehen, die sogenannten Motive. Diese Motive sind uralt und wandern von Volk zu Volk. Wo es Märchenerzähler gibt, da werden diese Motive in end- [5] losen Variationen zu Märchen vereinigt. Oft ist aber auch ein bestimmtes Märchen besonders beliebt und wandert als Ganzes [2] von Volk zu Volk.

Als Beispiel für das oben Gesagte [3] diene [4] uns das Schneewittchenmärchen, dessen [5] Anfang, wie erwähnt, [10] mit einem Negermärchen übereinstimmt. Im Grimmschen Schneewittchenmärchen finden sich die folgenden Motive: (1) Einem kinderlosen Ehepaar wird spät in der Ehe ein Kind von außerordentlicher Schönheit geboren. (2) Die böse Stiefmutter. (3) Der sprechende Spiegel [6] oder [15] irgendein [7] anderes Zauberding,[8] das für die Handlung wichtig ist. (4) Das Mitleid [9] des Jägers, der nicht das Herz hat, das Kind zu töten. (5) Rettende gute Geister oder Menschen, die in der Wildnis für das ausgestoßene [10] Kind sorgen. (6) Neue Mordversuche, von denen [11] der [20] dritte der gefährlichste ist. (7) Scheintod [12] und Wiedererweckung. (8) Belohnung [13] der Guten, Bestrafung der Bösen.

All diese Motive sind bekannt; sie finden sich bei den verschiedensten Völkern und kommen auch in anderen [25] literarischen Werken vor. Scheintod und Wiedererweckung der Heldin finden wir z.B. in Shakespeares *Romeo und Juliet*. Als Beispiel für das vierte Motiv sei hier nur

---

[1] vergleichen to compare   [2] als Ganzes in its entirety
[3] das oben Gesagte what has been said above; *s.* #13b
[4] diene may serve; *s.* #6a   [5] *s.* #11   [6] (der Spiegel mirror)
[7] irgendein some   [8] das Zauberding magic object
[9] das Mitleid pity   [10] ausgestoßen *p.p.* outcast   [11] *s.* #11
[12] der Scheintod apparent death   [13] die Belohnung rewarding

die Ödipussage [14] erwähnt, in der der kleine Ödipus von einem Diener getötet werden soll, der das Kind aber nur im Walde läßt, sodaß es gerettet werden kann.

Diese Beispiele genügen,[15] um zu zeigen, daß die heutige Märchenforschung sich weit von allem entfernt [16] hat, was die Brüder Grimm von den Märchen glaubten, und was sie zu ihrer Sammlung begeisterte.[17] Den literarischen Wert aber und die Zauberkraft, die die Märchen auf Jung und Alt ausüben,[18] haben die Brüder richtig erkannt. Was auch [19] die Gelehrten heute über Ursprung und Wesen [20] der Märchen zu sagen haben, der Wunsch der Brüder ist erfüllt: Die Märchen sind nicht vergessen worden und gehören heute zum Gemeinbesitz der abendländischen Kultur.

EXERCISES

A. Questions

1. Was war das Neue an Jakob Grimms historischer Grammatik der deutschen Sprache?
2. Warum ist Grimms Wörterbuch von großem Nutzen für die sprachwissenschaftliche Forschung?
3. Für welche Formen der Volksdichtung interessierten sich die Dichter und Philologen der Romantik?
4. Warum hatte das Jahrhundert der Aufklärung kein Interesse für die alten Märchen?
5. Welche Personen kommen in den Märchen immer wieder vor?
6. Welche Strafe bekommen die Schlechten im Märchen vom Aschenputtel?

[14] die **Ödipussage** the legend of Oedipus (*The child was to be killed, because an oracle had foretold that Oedipus would kill his father. This prophecy was later fulfilled.*)
[15] **genügen** to suffice   [16] sich **weit entfernen** to move far away
[17] **begeistern** to inspire   [18] (**aus-üben auf** to have on)
[19] **Was auch** No matter what
[20] das **Wesen** being; nature; system; *here* character

7. Wer sind der Sonnengott und die schlafende Erde im Märchen?
8. Welche Tatsache, die die Brüder Grimm nicht kannten, zeigt uns, daß die Märchen nicht eine Weiterentwicklung altgermanischer Mythen sein können?
9. Wie zeigt sich die Naturbeseelung des primitiven Menschen im Märchen?
10. Welches Motiv kommt in der Ödipussage und im Schneewittchenmärchen vor?

B. Vocabulary Review

1. das Beispiel - *example*
2. die Schuld - *fault, guilt*
3. das Mitleid - *pity*
4. das Wesen - *character*
5. der Gelehrte - *scholar*
6. die Bemerkung - *remark*
7. der Dichter - *poet*
8. der Geist - *spirit, genius*
9. die Forschung - *research*
10. die Handlung - *plot*
11. die Geschichte - *story*
12. der Ruhm - *fame*
13. das Ziel - *goal, aim*
14. das Jahrhundert - *century*
15. das Elend - *misery*
16. die Strafe - *punishment*
17. die Tatsache - *fact*
18. der Ursprung - *origin*
19. ursprünglich - *originally*
20. die Wissenschaft - *science*
21. wissenschaftlich - *scientific*
22. die Bedeutung - *meaning*
23. bedeutend - *important*
24. sammeln - *to collect*
25. die Sammlung - *collection*
26. entwickeln - *to develop*
27. die Entwicklung - *development*
28. leisten - *accomplish*
29. die Leistung - *achievement*
30. veröffentlichen - *to publish*
31. die Veröffentlichung - *publication*
32. schicken - *to send*
33. retten - *to save, rescue*
34. lächeln - *to smile*
35. schenken - *to give, present*
36. erwähnen - *to mention*
37. erkennen - *to recognize, detect*
38. erscheinen - *to appear, seem*
39. vergleichen - *to compare*
40. vereinigen - *to combine*
41. versuchen - *to try*
42. untersuchen - *to investigate*
43. benutzen - *to use, employ*
44. besitzen - *to possess / own, have*
45. gehören - *to belong*
46. genügen - *to suffice*
47. vorkommen - *to happen, appear*
48. annehmen - *to accept, assume*
49. übereinstimmen - *to agree, correspond*
50. gefährlich - *dangerous*
51. verschieden - *various*
52. bestimmt - *certain, distinct*
53. sonderbar - *odd, strange*
54. einzig - *only*
55. außerdem - *besides, moreover*
56. denn - *for*
57. besonders - *especially*
58. sofort - *at once, immediately*

59. fast – *almost*
60. trotzdem – *even though*
61. übrigens – *moreover*
62. deshalb – *therefore*
63. sogar – *even*
64. also – *therefore*
65. besonder– – *special*
66. bestehen aus – *consist of*

67. um so schlimmer – *the worse, so much*
68. irgendein – *any, some*
69. hin und wieder – *now and then*
70. es gibt – *there is, are*
71. usw. – *and so on*
72. d.h. – *that is to say*
73. z.B. – *for example*

C. Practice sentences

1. Es gibt in den Volksliedersammlungen Europas viele Lieder, deren Melodien in unserer Zeit wieder populär geworden sind.

2. Die Märchen vieler Völker und Zeiten sind von modernen Folkloristen untersucht worden, aber trotzdem bleibt noch viel zu tun: Alle diese Märchen sind miteinander zu vergleichen, die Wanderungen gewisser Motive durch die Länder und die Zeiten müssen erklärt werden usw.

3. Man glaube nun aber nicht, daß alles dadurch erklärt werden kann.

4. Bei einem Negerstamm in Zentralafrika gibt es viele Märchen, die als Beispiele der Smithschen Theorie dienen können.

5. Bei den Indianerstämmen Nordamerikas finden sich viele solcher Märchen.

6. Er interessierte sich nicht dafür, was die Gelehrten zu diesem Problem zu sagen hatten.

✤ 2 ✤

GOETHE

Der Schöpfer[1] eines
grossen Symbols

Direktor Kreuzerle macht gute Reklame[2] für sein Puppentheater. Seine hübsche Tochter steht in orientalischem Phantasiekostüm auf dem Marktplatz von Frankfurt und schlägt die Trommel, während sein fünfjähriges Söhnchen in ähnlichem Kostüm Theaterzettel[3] verteilt. Da lesen die 5 Bürger Frankfurts:

> Mittwoch den 6. und Donnerstag den 7. Juni 1761 wird
> im großen Saal zum Blauen Hirsch[4] aufgeführt
> *Doktor Faustus' Leben, Taten und Höllenfahrt.*
> Ein großes Drama in vier Akten mit Ballett, Geistererschei- 10
> nungen usw.

Der Personenliste folgen die[5] das Publikum besonders interessierenden „Attraktionen"[5]:

> Ein Rabe kommt aus der Luft und holt den Teufelspakt.
> Der Hanswurst[6] liest in einem der Zauberbücher seines 15
>   Herrn, des Doktor Faustus'. Er kann nicht weitergehen,
>   bis er die Schuhe ausgezogen hat. Die Schuhe tanzen
>   miteinander auf eine lustige Art.
> Doktor Faustus verkauft einem Bauern ein Pferd. Der

---

[1] (der **Schöpfer** creator)   [2] (die **Reklame** advertisement)
[3] (der **Theaterzettel** play-bill)   [4] (der **Hirsch** stag)
[5] *Read:* **die Attraktionen, die das Publikum besonders interessieren;** *s.*
#10
[6] der **Hanswurst** *clown of the early German stage and puppetshow*

Bauer will darauf fortreiten, aber es verwandelt sich [7]
in ein Bündel Heu. Nun will er sein Geld von Dr.
Faustus zurückhaben, aber der tut, als schliefe er.[8] Der
Bauer will ihn wecken und zieht ihn am Bein. Er zieht
dem Doktor Faustus das Bein [9] aus dem Leibe. Doktor
Faustus lacht und verschwindet [10] durch die Wand.
Hanswurst will den Zauberer spielen, und er ruft mehrere
Teufel aus der Hölle, mit denen er seinen Spaß hat.
Hanswurst reitet auf dem Rücken des Teufels nach Parma
in Italien.
Die schöne Helena erscheint und singt eine seltsame [11]
Arie.
Doktor Faustus nimmt bei einem Bankett von seinen Stu-
denten und seinem Famulus [12] Wagner Abschied.[13]
Die Teufel zerreißen den Doktor Faustus und werfen ihn
dann in ein Höllenfeuer, das auf offener Bühne [14] er-
scheint.
Der unterirdische Palast des Pluto.[15] Die höllischen Furien
tanzen ein Ballett, weil sie den Doktor Faustus in ihr
Reich [16] gebracht haben.
Hanswurst ist jetzt Nachtwächter von Wittenberg [17] und
wird zum Schluss der Vorstellung [18] ein schönes Stück
auf seinem Nachtwächterhorn spielen.

Preise der Plätze:
Erster Platz 10 Groschen [19]
Zweiter Platz 5 Groschen
Dritter Platz zweieinhalb Groschen
Der Anfang ist Punkt sieben Uhr. Ende 9 Uhr.
Die Türen werden um 6 Uhr geöffnet.
Direktor Kreuzerle.

[7] sich verwandeln to change
[8] der tut, als schliefe er the latter acts as though he were asleep
[9] dem Doktor Faustus das Bein Doctor Faustus' leg
[10] verschwinden to disappear   [11] seltsam strange
[12] (der Famulus [Lat.] assistant)
[13] Abschied nehmen to say good-bye   [14] die Bühne stage
[15] Pluto the god of the lower world or Hades   [16] das Reich realm
[17] Wittenberg famous university-town during the Middle Ages, where,
according to tradition, Dr. Faustus studied theology
[18] die Vorstellung performance
[19] der Groschen old silver coin worth approximately 2½ cents

Als die Türen zum großen Saal [20] des Wirtshauses um 6 Uhr geöffnet werden, stürmt als einer der ersten der kleine Wolfgang Goethe herein, sodaß er in der Mitte der ersten Reihe sitzen kann. Aufmerksam [21] studiert er jetzt den Vorhang,[22] auf dem Apollo [23] und die neun Musen zu sehen 5 sind.[24] Apollo hält in der einen Hand seine Leier [25] und in der anderen eine Tafel,[26] auf der geschrieben steht:

Ars Longa Vita Brevis

„Die Kunst ist lang, das Leben ist kurz" übersetzt Wolfgang für seine Kameraden, die um ihn herum sitzen und 10 sich nicht über die Kenntnisse des kleinen Goethe wundern, denn es ist in der ganzen Stadt bekannt, daß er ein sehr kluger Junge ist. „Steht das im Horaz?" [27] fragt einer neben ihm, der zeigen will, daß er auch etwas gelernt hat. „Wie kann das im Horaz stehen", antwortet Wolfgang. 15 „Das ist doch ein Sprüchlein [28] in Prosa, und Horaz hat nur Poesie geschrieben!"

Dann unterhalten sie sich über das aufzuführende Stück.[29] Man spekuliert darüber, in welcher Form Mephistopheles erscheinen werde. Die einen glauben, daß er als 20 ein großer Hund oder Bär auf die Bühne springen werde.[30] Wolfgang sagt, er habe in einem Faustbuch gelesen, daß *SuB* der Teufel dem Doktor Faustus in Gestalt [31] eines Mönches erschienen sei.[32] Er habe aber natürlich seine Gestalt verwandeln können, z.B. in ein geflügeltes Pferd, und so habe 25 er seinen Herrn Faustus durch die Lüfte getragen, in ferne

---

[20] der Saal hall   [21] (aufmerksam attentively; *here* intently)
[22] der Vorhang curtain
[23] Apollo *the god of manly youth and beauty, of poetry and music*
[24] *s.* #4   [25] (die Leier lyre)
[26] (die Tafel tablet)
[27] Steht das im Horaz (geschrieben)? (*literally:* Does that stand written in Horace?) Did Horace write that? (*Horace was a Latin poet, 65–8 B.C.*)
[28] (das Sprüchlein short verse, saying)
[29] das aufzuführende Stück the play to be presented; *s.* #10b
[30] *s.* #6g   [31] die Gestalt form   [32] *s.* #6g

Länder und Städte, ja sogar in den Himmelsraum,[33] den
Gestirnen zu.[34] So unterhalten sich die Jungen, oder besser
so unterhält sie Wolfgang, bis schließlich um sieben Uhr
der Vorhang aufgeht und das Puppenspiel mit dem „Vor-
5 spiel [35] in der Hölle" beginnt.

Pluto sitzt fett und schwarz vor einem Hintergrund,[36]
auf dem des höllischen Effektes wegen [37] ein dampfender [38]
Fluß mit einem schwimmenden Drachen zu sehen ist. In
dichterischer Sprache—aber mit schwäbischem [39] Akzent
10 —beschwert [40] sich der Herr der Hölle über seine Teufel,
die ihm nicht genug Seelen brächten. Da erscheint Mephistopheles—er hat ein schwarzes Teufelsgesicht und Bocksfüße,[41] ist aber wie ein Mönch angezogen—und verspricht
seinem Herrn, eine besonders wertvolle Seele, die des
15 Doktor Faustus, für das höllische Reich zu gewinnen. Dann
fällt der Vorhang, und das klassische Bild Apollos und der
neun Musen verdeckt [42] die schrecklichen Formen der
gotischen Phantasiewelt.

Das Publikum applaudiert und wartet dann ungeduldig
20 darauf,[43] den Doktor Faustus zu sehen, von dem sie alle
gehört oder gelesen haben.

Endlich verschwinden Apollo und die neun Musen. Der
Puppenfaust sitzt mit etwas verrenkten [44] Beinen in seiner
Studierstube an einem Tisch voller Bücher und Perga-
25 mente. Von der Decke hängt ein ausgestopfter [45] Sala-
mander, und an der Wand sieht man Karten mit astrolo-
gischen und magischen Symbolen.

---

[33] (der **Himmelsraum** celestial space)
[34] **den Gestirnen zu** toward the stars   [35] das **Vorspiel** prologue
[36] der **Hintergrund** background; *here* back-scene   [37] *s.* #9
[38] **dampfend** steaming
[39] **schwäbisch** Swabian, *a South German dialect*
[40] **sich beschweren** to complain   [41] (**Bocksfüße** *pl.* goat's feet)
[42] **verdecken** to hide   [43] *s.* #12c
[44] (**etwas verrenkten** somewhat twisted)
[45] (**ausgestopft** *p.p.* stuffed)

Direktor Kreuzerle läßt seinem Publikum Zeit, dies alles
in sich aufzunehmen, während Doktor Faustus tief in
Gedanken versunken vor sich hin [46] starrt. Es ist still im
Saal; alle warten gespannt [47] auf das erste Wort des Wit-
tenberger Professors. Er hebt die kleine Hand und läßt sie 5
mit hölzernem Klang wieder auf den Tisch fallen. Sein
langer Monolog beginnt mit lateinischen Maximen, denen
jedesmal die deutsche Übersetzung folgt. Eine dieser Maximen überrascht den kleinen Wolfgang: Nemo sua sorte
contentus est. „Niemand ist mit seinem Lose zufrieden." 10
Ist das wirklich so? Sind die Bürger Frankfurts mit ihrem
Lose unzufrieden?

Wolfgang schüttelt den Kopf. Man braucht doch nur
an Sonn- und Feiertagen [48] vor die Stadt hinauszugehen,
um zu sehen, wie zufrieden sie mit ihrem Leben sind. Da 15
wird ein Gläschen Wein getrunken, ein Pfeifchen geraucht,
etwas über Politik diskutiert, und am Abend geht alles
wieder vergnügt [49] nach Hause.

Doktor Faustus klagt nun die Theologie an,[50] daß sie
ihm die Rätsel des Universums nicht gelöst hätte. Deshalb 20
wolle er es mit der Magie versuchen. Bei diesen Worten
will Faustus vom Tische weggehen, bleibt aber mit einem
seiner Holzbeinchen am Stuhl hängen [51] und muß eine
Weile tanzen und hüpfen um loszukommen. Alles lacht,
und auch Wolfgang lacht, denn er muß an sein eigenes 25
Puppentheater zu Hause denken, das ihm die Großmutter
geschenkt hat, und an die kleinen Unglücksfälle,[52] die
seine Vorstellungen unterbrechen.

[46] vor sich hin into space   [47] gespannt eagerly
[48] an Sonn- und Feiertagen Sundays and on holidays (*If the last part of
two compound nouns is the same, it is expressed by a dash in the first
noun*)
[49] vergnügt happy   [50] an-klagen to accuse
[51] bleibt mit einem seiner Holzbeinchen hängen one of his wooden legs
catches
[52] der Unglücksfall mishap

Schließlich geht Faustus in den Hintergrund, wo ein
großes magisches Buch aufgeschlagen auf einem Pult liegt.
Auf halbem Wege bleibt er stehen. Soll er das Studium der
Theologie wirklich aufgeben? Da hört man einen hölli-
5 schen Baß aus den Kulissen,[53]—es ist der des Direktors
Kreuzerle—der dem Doktor rät, die theologischen Bücher
in die Ecke zu werfen und statt dessen die schwarze Magie
zu studieren. Ein himmlischer Sopran—es ist der der Frau
Direktor—warnt Faustus vor der schwarzen Magie, die ihn
10 sein Seelenheil [54] kosten werde. Faustus hört nicht auf den
Sopran, er tut, was ihm der Baß rät. Mit Hilfe eines
Zauberkreises und einiger komplizierter Formeln ruft er
Mephistopheles aus der Hölle und macht mit ihm einen
Pakt. Vierundzwanzig Jahre lang [55] soll Mephistopheles
15 Faustus' ständiger [56] Begleiter sein, soll seinen Wissensdurst stillen, ihm alle Geheimnisse der Philosophie und der
Wissenschaften erklären. Vierundzwanzig Jahre lang soll er
ihm auch zu einem Leben voller Freuden und Abenteuer
verhelfen, wie es noch kein Mensch vor ihm gelebt hat.
20 Dafür darf dann Mephistopheles nach vierundzwanzig
Jahren Faustus' Seele haben. Wolfgang ist tief erschüttert,[57] als Faustus diesen furchtbaren Pakt mit seinem Blut
unterzeichnet.

In der nächsten Szene tritt Hanswurst, Faustus' Diener,
25 auf und wird vom Publikum, das lange auf ihn gewartet
hat, mit lautem Applaus begrüßt. Wolfgang mag den Hanswurst nicht, er findet ihn vulgär. Außerdem stört es ihn,
daß Hanswurst als der Klügere [58] im Stück erscheint, denn
es gelingt ihm,[59] den Mephistopheles mit groben Witzen
an der Nase herumzuführen,[60] während der große Doktor

---

[53] (die Kulisse wing)   [54] (das **Seelenheil** salvation)
[55] **lang** for   [56] **ständig** constant   [57] (**erschüttert** *p.p.* moved)
[58] der **Klügere** the more clever one   [59] **es gelingt ihm** he succeeds
[60] **an der Nase herumzuführen** to lead by the nose; to make a fool of

Faustus das Opfer des höllischen Dämons geworden ist. In der Pause sagt er das seinen Freunden, die ihn aber nicht verstehen. Sie fragen ihn, ob er glaube, es könne ein Puppenspiel ohne Clown geben. Wolfgang antwortet altklug [61] und dogmatisch, daß es nicht richtig sei, [5] im Drama die komischen und tragischen Elemente zu mischen. Der große französische Dichter und Kritiker Boileau habe das schon im vorigen [62] Jahrhundert gesagt und der [63] müsse es doch wissen.

Inzwischen hat Direktor Kreuzerle hinter der Bühne [10] Faustus' Bein repariert und seine Frau und Tochter haben alles für den zweiten Akt zurechtgemacht. Der Vorhang geht auf, und man sieht einen Hintergrund mit Lorbeer- büschen, [64] weißen Säulen [65] und zwischen den Säulen einen wolkenlosen Himmel und ein tiefblaues Meer. [15] „Italien" murmelt der kleine Wolfgang und klatscht vor Freude in die Hände. Sein Vater hat ihm oft von Italien erzählt, und zu Hause hängen Bilder von Rom im Vorsaal. Italien ist für Wolfgang ein Märchenland, wo der Himmel immer blau ist, und schöne Menschen in Marmorstädten [20] wohnen. Wolfgang sieht den Herzog und die Herzogin von Parma, [66] deren seidene Gewänder [67] von Gold und Edel- steinen zu funkeln scheinen. Er denkt: „Wenn ich älter bin, reise ich nach Italien und komme nie, nie wieder zurück." [25]

Doktor Faustus, sein höllischer Begleiter Mephistopheles und Hanswurst erscheinen in Italien, wo sie nicht ganz hinpassen. [68] Der Doktor ist zu melancholisch, der nor- dische Teufel zu grimmig und der Hanswurst zu grob für

---

[61] **altklug** precociously   [62] **vorig** last (*i.e. the 17th century*)
[63] **der** he (*emphatic*)   [64] (**der Lorbeerbusch** laurel-shrub)
[65] (**die Säule** pillar)   [66] **Parma** *city and duchy in Northern Italy*
[67] (**das Gewand** gown)
[68] **wo sie nicht ganz hinpassen** (where they do not quite fit in) where they are out of place

das sonnige Italien der Renaissance.[69] Faustus unterhält
den Herzog, er zeigt ihm die Geister Simsons, Alexanders
und sogar die blutige Szene der Enthauptung des Holofernes.[70] Die Dummheit und Frechheit des Hanswursts
5 sind aber schließlich dafür [71] verantwortlich, daß Faustus
aus dem Herzogtum gejagt wird. Wolfgang ist traurig, daß
er nun den schönen italienischen Hintergrund nicht mehr
sehen kann.

Das Stück geht seinem Ende zu. Faustus will als reui-
10 ger [72] Sünder seinen Weg zu Gott zurückfinden. Voll Wut
und Sorge muß Mephistopheles zusehen, wie Doktor
Faustus im Gebet Gott um Vergebung bittet. Aber diese
wertvolle Seele darf dem höllischen Reich nicht verloren
gehen.[73] Pluto selber erscheint und bringt die schöne
15 Helena mit sich, um deretwillen [74] einst die stolze Stadt
Troja unterging. Ihre Schönheit besiegt Faustus' Höllenangst und Himmelssehnsucht. Zum zweiten Male schwört
er seinem Herrn Pluto, Gott zu vergessen und sein treuer
Untertan [75] zu sein. Mit ausgestreckten Armen geht er
20 auf Helena zu—da—eine laute Explosion—die schöne
Griechin verschwindet in einer Rauchwolke, und an ihrer
Stelle erscheint eine höllische Schlange,[76] vor der Faustus
entsetzt [77] flieht. Jetzt ist der große Sünder verloren.

Die letzte Szene beginnt mit dem Nachtwächterlied des
25 Hanswursts. Ja, der Hanswurst ist Nachtwächter von Wittenberg geworden und hat sich sogar verheiratet. Er
wandert nicht mehr mit seinem gottlosen Herrn in der

---

[69] **Renaissance** *a movement characterized by the revival of classical in-*
fluence between the medieval and modern periods, i.e. 14th–16th centuries
[70] Simson Samson, *"the strong man" in the Bible;* Alexander Alexander the
Great, *King of Macedon* (*356–323 B.C.*); Holofernes, *the general of Nebu-*
chadnezzar, slain by Judith.
[71] **s.** #12b   [72] (*reuig* repentant)
[73] **darf nicht verloren gehen** must not be lost
[74] **um deretwillen** for whose sake
[75] (**der Untertan** subject)   [76] (**die Schlange** snake)
[77] (**entsetzt** horrified)

Welt herum, sondern geht nur nachts durch die stillen
Straßen von Wittenberg, und wenn die Bürger der Stadt
sein Liedchen hören, so wissen sie, daß weder Feuer noch
Räuber ihr Leben bedrohen,[78] und schlafen noch einmal so
gut.[79] Faustus erscheint und fleht seinen ehemaligen 5
Diener um Hilfe an.[80] Die freche Antwort des Hanswursts
zeigt die Freude des kleinen Mannes, der zusehen darf,
wie es einem großen Menschen schlecht geht.[81] Zwölf
Glockenschläge ertönen, und unter dem Geheul und
Gekreisch der ganzen Familie Kreuzerle stürzen sich die 10
Teufel mit Doktor Faustus in ein herrlich flackerndes Höllenfeuer. Der Hanswurst erscheint wieder, und nach seinem Nachtwächterlied bläst er ein Trompetenstück, das
Direktor Kreuzerle kürzlich gelernt hat, und das natürlich
gar nicht zu dem Stück paßt.[82]   15
   Das Publikum applaudiert, aber Doktor Faustus kann
nicht auf die Bühne kommen. In seiner letzten höchst
dramatischen Szene haben sich seine Fäden [83] mit denen
der Teufel verwickelt.[84] So erscheint der Hanswurst wieder
und bläst das Trompetenstückchen noch einmal. Wieder 20
applaudiert das Publikum und diesmal lauter als zuvor.
Wolfgang applaudiert nicht. Es gefällt ihm nicht,[85] daß
der Hanswurst das letzte Wort hat. Das ganze Ende gefällt
ihm nicht. Warum soll ein großer Mensch wie Faustus verdammt werden und so ein Kerl wie der Hanswurst, nur 25
weil er schlau genug war, den Teufel zu überlisten,[86] bei
Bier und Leberwurst mit seiner Frau Liese ein vergnügtes
Leben führen? Warum, so fragt sich Wolfgang, wird Fau-

_(12)_

[78] (bedrohen to threaten)
[79] noch einmal so gut twice as well
[80] (an-flehen to implore)
[81] wie es einem großen Menschen schlecht geht how a great man is in a
bad way
[82] passen to be suitable   [83] (der Faden string)
[84] (sich verwickeln to become snarled)
[85] Es gefällt ihm nicht He doesn't like   [86] überlisten to outwit

stus überhaupt [87] verdammt? Er hat das Studium der Theologie aufgegeben, das ist wahr, aber doch nur weil er in diesem Studium keine Antworten fand auf die großen Fragen,
die ihn quälten.[88] Was hatte er denn von dem höllischen
5 Geist Mephistopheles verlangt?[89] Daß er ihm vierundzwanzig Jahre lang diene, ihm alle verborgenen [90] Künste
und Wissenschaften der Welt entdecke, ihm auf alle Fragen eine Antwort gebe, und er es ihm möglich mache, ein
Leben voller Freuden und Abenteuer zu führen. Hatte
10 denn [91] Faustus Krieg und Pest über die Welt bringen wollen? War er etwa [92] ein Tyrann wie Nero? [93] Er wollte doch
nur mehr wissen und mehr erleben als andere Menschen.
War denn das eine Sünde? Sollte denn der Mensch immer
in engen Grenzen leben?—Und er muß an den Titanen [94]
15 Prometheus denken, der von Jupiter so furchtbar bestraft
worden war, weil er dem wilden Menschen Feuer und
dadurch Kultur gebracht hatte.

Die Antwort auf diese Fragen konnte der zwölfjährige
Wolfgang noch nicht finden. Viele Jahrzehnte sollten [95]
20 vergehen, bis sie der Dichter Goethe in seinem großen
Drama der ganzen abendländischen Welt gab.

Darf der Mensch die Grenzen überschreiten,[96] die
seinem Wissen und seiner Macht gesetzt sind? Auf diese
Frage hat der abendländische Mensch das ganze Mittel-
25 alter hindurch [97] eine verneinende Antwort gegeben.

In Dantes *Göttlicher Komödie* erzählt Odysseus den
Höllenbesuchern von seiner letzten Fahrt.[98] Wissensdurst

[87] überhaupt at all   [88] quälen to torment
[89] verlangen von to ask of
[90] (verborgen *p.p.* hidden)
[91] denn *used for emphasis; omit*   [92] etwa perhaps
[93] Nero *Roman emperor* (54–6) *notorious for his cruelty*
[94] der **Titan** Titan, *a race of giants in Greek mythology,* **enemies of the
gods**
[95] sollten were to; *s.* #5b
[96] die **Grenzen überschreiten** to exceed the bounds
[97] (**hindurch** throughout)   [98] (**die Fahrt** wandering)

und sein tapferes Herz ließen ihn nicht zu Hause ruhen.
Noch als alter Mann machte er eine Entdeckungsfahrt ins
westliche Gebiet,[99] über die Meeresenge von Gibraltar
hinaus.[1] Aber er mußte diese Grenzverletzung[2] mit dem
Tode büßen.[3] Nach fünf Monaten auf hoher See sah er 5
einen riesigen Inselberg und wollte voller Freude landen.
Dies war aber der Berg des Fegefeuers,[4] und ein Wirbelsturm[5] schickte das Boot des kühnen[6] Seefahrers in die
Tiefe.

War die Meeresenge von Gibraltar die westliche, so[7] 10
war ein Kap an der Goldküste Afrikas die südliche Grenze,
bis zu der dem Menschen des Mittelalters die Seefahrt
erlaubt war. Die Portugiesen nannten dies Kap „Kabo
Nao", das Kap Nein, denn dies war das große Nein, mit
dem Gott dem Menschen alle weiteren Entdeckungsfahr- 15
ten verbot.

Die Menschen der Renaissance fürchteten diese geographischen Schranken nicht, ja sie überschritten die viel
stärker bewachten Grenzen, die dem wissenschaftlichen
Denken und Forschen im Mittelalter gesetzt waren. Von 20
tiefer Unruhe, von Wissensdurst und Machtwillen getrieben,[8] ohne Furcht vor weltlicher oder geistlicher[9] Autorität, eroberten Renaissancemenschen wie Galilei, Bacon,
Copernikus, Vesalius,[10] neue Kontinente der Wissenschaften, ja die Natur selbst. 25

---

[99] das **Gebiet** territory   [1] **hinaus** beyond
[2] die **Grenzverletzung** violation of boundaries
[3] (**büßen** to atone for)   [4] (das **Fegefeuer** purgatory)
[5] (der **Wirbelsturm** cyclone)   [6] **kühn** daring
[7] **War die Meeresenge** . . . , **so** . . . If the Straits . . . **were** . . . ,
then . . . ; s. #8a
[8] *Begin with the past participle* **getrieben**: Spurred on . . .
[9] **geistlich** ecclesiastical
[10] **Galilei** Galileo *Italian physicist* (1564–1642); *discovered movement of
the earth.* **Bacon** *English philosopher* (1561–1616); *emphasized experimental method of science.* **Copernikus** Copernicus *Polish astronomer*
(1473–1543); *discovered that earth turns around sun.* **Vesalius** *Belgian
physician* (1514–1564); *founder of modern anatomy.*

Es war mittelalterliches Denken, scholastischer Autori-
tätsglaube, der den Arzt Blondus noch im 16. Jahrhundert
sagen ließ: [11] Es ist ehrenswerter, mit Galenus und Avicenna [12] zu irren, als mit anderen recht zu haben.

5 Es war Renaissance-Denken und „faustischer Geist",
wenn Blondus' Zeitgenosse Paracelsus [13] bei seiner Antrittsvorlesung [14] an der Universität Basel einen großen
Haufen medizinischer Lehrbücher, darunter auch Werke
Galens und Avicennas, verbrannte.

10 Was wir als die Großtaten des Renaissance-Geistes
feiern, die Entdeckung des Sonnensystems, die Entdek-
kung ferner Kontinente, die Wiederentdeckung der Antike,
die Erfindung des Buchdrucks, des Teleskops usw., das
begeisterte auch den Menschen der Renaissance. Der Hu-
15 manist [15] Hutten schrieb in einem Brief an einen gelehrten
Freund: „O Säkulum,[16] o Wissenschaften! Die Geister
erwachen, es ist eine Lust zu leben." Demgegenüber
steht [17] aber die mittelalterliche Auffassung,[18] die all diese
großen Leistungen als Teufelswerk betrachtete. Das große
20 Symbol dieser Denkart ist die Faustsage in ihrer älteren
Form.

In der doppelten Bewertung des menschlichen Fort-
schrittes seit den Tagen der Renaissance liegt der Grund
für die doppelte Entwicklung der Faustsage, die mit
25 Faustus' ewiger Verdammnis oder seiner Erlösung endete.
Der historische Faust, der Zeitgenosse Luthers, war ein

[11] ließ caused
[12] Galenus Galen *famous Greek physician* (*130–200*); Avicenna *Arabian physician and philosopher* (*980–1037*); *recognized by medieval church with Galen as medical authority*
[13] Paracelsus *Swiss alchemist and physician* (*1493–1541*)
[14] (die **Antrittsvorlesung** inaugural lecture)
[15] der **Humanist** humanist, *a member of the movement called Humanism which during the Renaissance emphasized Greek and Roman classics*
[16] (das **Säkulum** century)
[17] **Demgegenüber steht** Opposite to that is
[18] die **Auffassung** concept

recht zweifelhafter Charakter, teils Gelehrter, teils Scharlatan, teils Betrüger. Aber die Phantasie des Volkes machte ihn zum Vertreter des [19] alle Grenzen niederbrechenden Titanen,[19] der seine Erfolge dem Teufel zu verdanken hatte und am Ende dem Teufel seine Seele lassen muß, zum 5 Lohne für dessen [20] Dienste. Mephistopheles, so lesen wir in dem Volksbuch [21] vom Doktor Faustus, das 1587 in Frankfurt am Main erschien, zeigte seinem Herrn alle Geheimnisse [22] der Erde und des Universums, erfüllte alle seine Wünsche, so daß er ein herrliches Leben auf Erden 10 führen konnte; rief schließlich sogar die schöne Helena aus der Unterwelt, um [23] sie Faustus zur Geliebten zu geben. Zu spät erkannte Faustus am Ende seines Sündenlebens, wie furchtbar der Preis war. Nachdem er seine Studenten bei dem letzten Bankett vor der Magie und 15 allen unchristlichen Gedanken gewarnt hatte, zerriß ihn der Teufel und brachte diese wertvolle Seele in die Hölle.

So erscheint Faust in den Volksbüchern, so im Drama Marlowes und in den Puppenspielen, die sich bis heute erhalten [24] haben. 20

Goethe war nicht der einzige, der den Gedanken faßte,[25] den Faust zum Symbol des abendländischen Menschen, ja des Menschen überhaupt [26] zu machen, und ihn Erlösung finden zu lassen. Sein Werk überragt [27] aber an Gedankentiefe und dichterischer Schönheit alle vorher- 25 gehenden und folgenden Faustdichtungen so sehr, daß sie mit Ausnahme von Gounods [28] Oper heute fast vergessen

---

[19] *Read:* **des Titanen, der alle Grenzen niederbricht** of the Titan who breaks down all boundaries; *s.* #10a
[20] **dessen** the latter's   [21] **das Volksbuch** chapbook
[22] **das Geheimnis** secret
[23] **um . . . zu geben** in order to give; *s.* #14c
[24] **sich erhalten** to be preserved
[25] (**den Gedanken faßte** seized upon the idea)
[26] **überhaupt** in general   [27] **überragen** to surpass
[28] **Gounod** *French composer* (*1818–1893*)

sind. Goethes Drama als das Drama von der Erlösung des
Menschen, der Selbsterlösung des Menschen, steht in
seinem Symbolwert neben solchen Werken wie Dantes
Göttlicher Komödie und Shakespeares *Hamlet.*

5 Die äußere Anregung,[29] ein Faustdrama zu schreiben,
kam Goethe von dem Puppenspiel. In seiner Lebensbeschreibung *Dichtung und Wahrheit* [30] sagte er in Bezug [31]
auf die Straßburger Zeit (1773), daß die Puppenspielfabel
ihm immer durch den Kopf gehe.[32]

10 Auch die dramatische Anordnung des Stoffes zeigt diesen Einfluß, denn die großen Linien der Handlung, die
Goethe nie verändert hat, stimmen mit denen [33] des Puppenspiels überein: Vorspiel—einführender [34] Monolog—
Bruch mit der Vergangenheit und Pakt mit der Hölle—
15 Fausts „Sündenleben", d.h. seine Reisen mit Mephistopheles, die einen Aufenthalt an der Welt des Hofes und
im klassischen Süden einschließen—Helena-Episode—
letzter Monolog—Tod und Beginn des jenseitigen Lebens.

Im Vorspiel des vollendeten Werkes sehen wir aber
20 sofort, wie Goethe die Faustsage aus der mittelalterlichen
Welt in die moderne hebt. Sein Vorspiel beginnt nicht in
der Hölle, sondern im Himmel, und wir haben von Anfang
an die Gewißheit, daß eine Seele wie die [35] Fausts nicht
verloren gehen kann.[36] Der Herr der himmlischen Heer-
25 scharen [37] sagt im Prolog, in dem der Teufel mit Gott über
den Wert der Menschenseele streitet: [38]

[29] die **Anregung** stimulus
[30] *Dichtung und Wahrheit Truth and Fiction*
[31] in **Bezug auf** with regard to
[32] **ihm durch den Kopf gehe** he was thinking . . . of
[33] **denen** those   [34] **einführend** introductory   [35] **die** that
[36] **nicht verloren gehen kann** cannot get lost
[37] (**Der Herr der himmlischen Heerscharen** The Lord of the celestial
hosts)
[38] **streiten** to quarrel

Ein guter Mensch in seinem dunklen Drange [39]
Ist sich des rechten Weges wohl bewußt.

Der Adel der Menschenseele besteht bei Goethe gerade in
diesem dunklen Drange, der ihn aber auch der Gefahr
aussetzt, schuldig zu werden und zu irren. 5
Der Herr des Vorspiels ist bei Goethe natürlich ebensowenig der Jehova des Alten Testaments wie Mephistopheles der Teufel der christlichen Überlieferung [40] ist.
Der Herr ist das dichterische Symbol für den Sinn des
Lebens, der menschlichen Entwicklung, der Kultur, deren 10
tiefste Bedeutung sich dem Menschen nur in einer höheren
Welt offenbaren [41] kann, von der Dichter und Propheten
in Bildern und Symbolen sprechen. Mephistopheles ist der
Geist der Verneinung, der Skepsis, der zynischen Kritik.
Sein Hohn [42] ist immer da am schärfsten, wo warmherziger 15
menschlicher Idealismus die Wirklichkeit aus den Augen
verliert [43] und sich in leeren Spekulationen den Himmel
auf Erden erschaffen will. Aber auch dieser negative Geist
ist nur ein Mittel zur höheren Entwicklung des Menschen,
denn gerade dadurch, daß [44] er den Idealisten Faust in 20
den Staub zu ziehen versucht, zwingt er ihn, seine frucht-
losen Spekulationen aufzugeben und den Mittelweg
zwischen unfruchtbarem Idealismus und zynischem Ma-
terialismus zu finden, d.h. den Weg des Lebens zu gehen,
den Goethe für den wahrhaft menschlichen hielt. [45] 25
Im Puppenspiel und Volksbuch verflucht [46] Doktor
Faustus am Ende sein Leben und schreit in verzweifelter
Angst zu einem Gott, der seinen Bund mit der Hölle nicht
vergeben kann. Goethes Faust hat nach allem leidenschaft-

---

[39] der Drang urge   [40] die Überlieferung tradition
[41] (sich offenbaren to reveal itself)   [42] (der Hohn sarcasm)
[43] aus den Augen verliert loses sight of   [44] dadurch, daß because
[45] halten für to consider   [46] (verfluchen to curse)

lichem [47] Experimentieren mit Möglichkeiten menschlicher Existenz schließlich den Weg zu einer [48] der Gemeinschaft nützlichen Lebensform [48] gefunden. Es war für manchen Romantiker eine schwere Enttäuschung,[49]
5 daß Faust, der titanische Denker, der leidenschaftliche Liebende, der gewandte Hofmann,[50] der Befreier Helenas, am Ende des Dramas ein sozial gesinnter [51] Landbesitzer und Wasserbauingenieur wird. Bis zu seiner Todesstunde ist Faust rastlos tätig, denn die Sehnsucht seiner Seele, der
10 dunkle Drang, findet nie Befriedigung. Eine Vision des freien kräftigen Volkes, das sich auf seinem [52] dem Meere abgerungenen Lande [52] angesiedelt hat, beglückt den sterbenden Faust Goethes.

Das neunzehnte Jahrhundert hat großes Interesse für
15 Goethes *Faust* gezeigt, wenn es auch [53] dies philosophische Werk nicht immer richtig verstand. Es ist verständlich, daß die Goethe-Gelehrten das riesige Werk zum Gegenstand tausender gelehrter Bücher und Abhandlungen [54] machten. Daß manche dieser Philologen das große
20 Werk mißverstanden, wie der pedantische Wagner seinen Herrn, läßt sich verstehen.[55]

Die deutsche Bühne hat sich nur um den ersten Teil gekümmert, weil die Rollen Mephistos und Gretchens große Schauspieler und Schauspielerinnen anzogen.[56]
25 Fausts Anteil an dem Drama wurde oft so gekürzt, daß

---

[47] **leidenschaftlich** passionate, ardent
[48] *Read:* **einer Lebensform, die der Gemeinschaft nützlich ist** a form of life which is useful to the community; *s.* #10d
[49] **die Enttäuschung** disappointment   [50] (**der Hofmann** courtier)
[51] (**gesinnt** minded)
[52] *Read:* **auf seinem Lande, das er dem Meere abgerungen hat** (wrested from); *s.* #10c
[53] **wenn auch** even though   [54] **die Abhandlung** treatise
[55] **läßt sich verstehen** is understandable
[56] (**an-ziehen** *here* to attract)

der Name des Stückes „Mephisto" oder „Gretchen" hätte
heißen können.[57]

Am weitesten entfernt [58] vom Geiste des Goetheschen
Werkes sind die Faustopern. Hier wurde der Symbolgehalt
des Werkes ganz vernachlässigt. Daß das Faustdrama das 5
Drama des abendländischen Menschen seit der Renaissance, das Drama des Menschen als solchen, ist, würde
man aus den Musikdramen Berlioz' [59] und Gounods nie
erraten. Deren Librettisten waren so vollkommen von der
Gretchentragödie im Faustdrama fasziniert, daß Faust der 10
Denker und Vertreter des rastlos strebenden Menschen,
fast ganz vergessen wurde und nur Faust, der Verführer [60]
Gretchens, übrig blieb. Außerdem ist die Oper des neunzehnten Jahrhunderts viel zu barock, um die einfachen
und zarten Gefühle einer jungen Liebe wie der [61] Gret- 15
chens darstellen zu können. Nur im Volkslied kann man
die Süße, Innigkeit [62] und Schlichtheit finden, die die
Liebesszenen in Goethes *Faust* so einzigartig machen.
Daß der Faust der Oper vom Teufel geholt wird, ist verständlich, denn es ist eine Regel der Oper, daß Tenöre, die 20
den Sopran verführen, bestraft werden müssen. Gounods
Oper hat Goethes *Faust* außerhalb Deutschlands be-
kannter gemacht Fragt man [63] aber einen Laien, ob er
Goethes *Faust* kenne, so erhält man meistens eine Antwort, die sich auf die Liebesgeschichte zwischen Faust 25
und „Marguerite", also auf Gounods *Faust,* bezieht.[64]

Hier könnten wir schließen. Die Vitalität des Faustsym-
boles läßt sich an vielen Beispielen deutscher und nicht-

---

[57] hätte **heissen können** could have been; *s.* #6f
[58] **Am weitesten entfernt** Farthest removed
[59] **Berlioz** *French composer* (*1803–1869*)
[60] (**der Verführer** seducer) [61] **der** that
[62] (**die Innigkeit** sincerity) [63] **fragt man** *s.* #8a
[64] **sich beziehen auf** to refer to

deutscher Literatur nachweisen,[65] und ein tröstlicher Ausblick auf das Fortbestehen menschlicher Kultur wäre wohl
möglich. Wenn wir Goethes Faust als Symbol des Menschen betrachten, was wir in Goethes Sinne dürfen, so sagt
5 uns der Dichter, daß des Menschen dunkler Drang zu
seiner endlichen Erlösung führen wird. Trotz aller Schuld
und aller Irrtümer, trotz Kriege, Revolutionen und aller
Scheußlichkeiten,[66] die der Mensch auf dem Gewissen [67]
hat, am Ende wird er gerettet. Aber sind wir dessen so
10 sicher? Der Pessimismus der modernen Literatur, die
Zweifel des modernen Menschen an sich selbst und an
seinem Geschick [68] zeigen, daß die optimistische Botschaft [69] in Goethes *Faust* heute oft nicht angenommen
wird. Goethes Mephisto vergleicht die Anstrengungen [70]
15 des immer strebenden Menschen mit den sinnlosen Sprün-
gen einer Zikade,[71]

> Die immer fliegt und fliegend springt
> Und gleich [72] im Gras ihr altes Liedchen singt.

Ähnliches [73] schreiben unsere modernen Dichter auch. Nur
20 ein Beispiel von vielen sei erwähnt,[74] da es die moderne
Parallele zu Mephistopheles' pessimistischem Bild vom
Menschen und seiner Geschichte ist. Es stammt aus Samuel
Hoffensteins Gedicht „Apostrophe to a Flea"

> Like yourself, oh agile flea
25 > I hop and skip incessantly
> From arid here to barren there
> Leaving a zigzag track of air.

---

[65] **läßt sich nachweisen** can be shown; *s.* #3a
[66] (die **Scheußlichkeit** atrocity)   [67] das **Gewissen** conscience
[68] das **Geschick** fate   [69] die **Botschaft** message
[70] die **Anstrengung** effort   [71] (die **Zikade** cricket)
[72] (**gleich** as before)   [73] **Ähnliches** In a similar vein
[74] **sei erwähnt** shall be mentioned; *s.* #6a

Da sieht es beinahe aus, als ob das alte Puppenspiel uns
näher stünde [75] als Goethes *Faust*, d.h. natürlich, wenn wir
diesen pessimistischen Stimmen glauben wollen, die die
abendländische Kultur für den größten Irrtum der Menschheit halten. 5

Der faustische Mensch hat sich die Welt, ja die Natur
unterworfen,[76] aber nun kehren sich [77] die Dämonen der
Finsternis gegen ihn, und am Rande [78] des glühenden
Abgrundes [79] schreit er verzweifelt nach Rettung vor einer
Hölle, die er in seinen Laboratorien selbst geschaffen hat. 10
Aber wer soll ihn retten? Der Gott, an den er nicht glaubt,
oder die Natur, die er zur Sklavin erniedrigt hat?

Die Zukunft wird entscheiden,[80] ob Goethes *Faust* nur
den Optimismus der abendländischen bürgerlichen Kultur
ausdrückte, die mit der Renaissance begann und vielleicht 15
in den Weltkriegen des 20. Jahrhunderts ihr Ende fand,
oder ob auch kommenden Generationen der Gesang der
Engel am Ende des Dramas bedeutungsvoll klingt:

> Wer immer strebend sich bemüht,
> Den können wir erlösen.[81] 20

EXERCISES

A. Questions

1. Wo wird das Puppenspiel vom Doktor Faustus aufgeführt?
2. Wie kann der junge Goethe wissen, daß der Spruch auf
   dem Vorhang nicht bei Horaz zu finden ist?
3. In welcher Form erscheint Mephistopheles auf der Bühne?
4. Was ist Doktor Faustus zu Beginn des Puppenspiels?

[75] stünde *subjunctive of* stehen
[76] (sich unterwerfen to enslave) [77] sich kehren to turn
[78] der Rand edge [79] (der Abgrund abyss)
[80] entscheiden to decide
[81] "Who ever aspiring, struggles on, For him there is salvation." (G. M.
Priest)

5. Was tun die Bürger Frankfurts oft an Sonn- und Feiertagen?
6. Warum versteht Wolfgang den kleinen Unglücksfall auf der Puppenbühne so gut?
7. Was soll Mephistopheles für Faustus tun?
8. Was hat Wolfgang von dem großen französischen Kritiker Boileau gelernt?
9. Woher kennt Wolfgang Italien?
10. Wie gelingt es Pluto noch in der letzten Stunde, den reuigen Sünder Faustus zurückzugewinnen?
11. Wie kommt das Trompetenstück in das Puppenspiel vom Doktor Faustus?
12. Warum gefällt Wolfgang das Ende des Puppenspieles nicht?
13. Warum konnte sich das naturwissenschaftliche Denken im Mittelalter nicht entwickeln?
14. Woran dachte der Humanist Hutten, als er an seinen Freund schrieb: „Die Geister erwachen, es ist eine Lust zu leben"?
15. Wie endet das Leben des Goetheschen Faust?
16. Warum weiß man wenig von Goethes *Faust*, wenn man nur die Faustopern kennt?
17. Warum kann Faust in Goethes Drama gerettet werden?

B. Vocabulary Review

1. die **Kunst** - art
2. der **Dienst** - service
3. das **Reich** - realm
4. der **Wert** - value
5. die **Sorge** - care, worry
6. die **Reihe** - row, series
7. die **Ausnahme** - exception
8. die **Grenze** - boundary
9. der **Fortschritt** - progress
10. der **Vertreter** - representative
11. die **Regel** - rule
12. die **Gefahr** - danger
13. der **Vorhang** - curtain
14. der **Anfang** - beginning
15. das **Abenteuer** - adventure
16. das **Geheimnis** - secret
17. das **Mittel** - means
18. der **Mittelweg** - middle course
19. das **Wissen** - knowledge
20. die **Wissenschaft** - science
21. der **Gegenstand** - object
22. das **Gebiet** - sphere, field
23. die **Vergangenheit** - past
24. die **Wirklichkeit** - reality
25. die **Vorstellung** - idea, concept
26. die **Bedeutung** - importance
27. die **Überlieferung** - tradition
28. die **Entwicklung** - development
29. die **Leistung** - achievement
30. die **Erfindung** - invention

31. das Rätsel - *puzzle*
32. raten - *advise*
33. entdecken - *discover*
34. die Entdeckung - *discovery*
35. dienen
36. schicken
37. klingen
38. rufen
39. verlangen
40. vergleichen
41. verwandeln
42. verschwinden
43. erobern
44. erraten
45. erscheinen
46. entscheiden
47. betrachten
48. zerreißen
49. gelingen
50. gefallen
51. ausdrücken
52. einschließen
53. zusehen
54. unterbrechen
55. unterzeichnen
56. unterhalten
57. sich unterhalten
58. möglich
59. die Möglichkeit
60. kräftig

61. riesig
62. tätig
63. einzigartig
64. wirklich
65. ähnlich
66. bürgerlich
67. wahrhaft
68. zweifelhaft
69. treu
70. tapfer
71. sonderbar
72. mehrere
73. ebensowenig
74. hauptsächlich
75. bis
76. vielleicht
77. beinahe
78. sofort
79. also
80. sogar
81. überhaupt
82. schließlich
83. besonders
84. außerdem
85. nie
86. kürzlich
87. noch einmal
88. halten für
89. sich beziehen auf
90. in Bezug auf

C. Practice Sentences

1. Da war nichts zu tun.
2. Das darf nicht sein.
3. Der Szenen in der Hölle wegen durfte das Puppenspiel in manchen Städten nicht aufgeführt werden.
4. Es hat mir nie gefallen, daß er sich nicht um seine Familie kümmerte.
5. Liest man die alten Geschichten vom Doktor Faustus, so versteht man besser, wie groß die dichterische und phi-

losophische Leistung Goethes war, dem es gelang, aus diesem Stoff ein großes dichterisches Symbol für die abendländische Menschheit zu machen.

6. Es läßt sich leicht zeigen, daß das alte Puppenspiel in ganz Deutschland bekannt war.

7. Es sieht so aus, als ob die französischen Librettisten nur den ersten Teil von Goethes Faust gelesen hätten.

8. In diesem auch auf deutschen Bühnen oft aufgeführten Stück des französischen Philosophen Sartre erscheint der Pessimismus des modernen Europäers.

9. Der Einfluß des alten Puppenspieles läßt sich an einigen Stellen des Goetheschen Dramas klar erkennen.

10. Das Faustmotiv lebte im neunzehnten und zwanzigsten Jahrhundert in Kunstwerken weiter, die sich aber oft sehr weit vom Goetheschen Geiste entfernten.

✦ 3 ✦

SCHLIEMANN

Der Entdecker Trojas [1]

Die Wiederentdeckung des klassischen Altertums, die wir Renaissance nennen, begann mit der Wiederentdeckung römischer Kunst und römischer Literatur. Die eigentliche [2] Entdeckung der griechischen Kultur kam erst [3] später. Erst von der Mitte des achtzehnten Jahrhunderts [5] an kann von einer griechischen Renaissance in Europa gesprochen werden.[4] War [5] Rom verehrt worden, so wurde Athen vergöttert.[6] Bei [7] den meisten gebildeten Europäern galt [8] die griechische Kultur bis tief ins neunzehnte Jahrhundert hinein als d i e [9] Kultur, und die eigene Kultur [10] wurde oft für minderwertig,[10] ja barbarisch gehalten.

In keinem Land aber ist die griechische Kultur so aus tiefster Seele geliebt worden wie in Deutschland. In seinem Drama *Iphigenie* [11] zeigt Goethe die griechische Königstochter im Barbarenland am Meeresufer sitzend, „das [15]

[1] (das) **Troja** Troy, *ancient ruined city in NW Asia Minor*
[2] **eigentlich** actual   [3] **erst** not until
[4] **kann gesprochen werden** can we speak   [5] *s.* #8a
[6] (**vergöttern** to worship)
[7] **bei** *here* among (*Remember also the following meanings of* **bei**: near, at; with, in the case of)
[8] **gelten als** to be looked upon as
[9] *In German printing, emphasis may be indicated by spacing*
[10] **minderwertig** inferior
[11] Iphigenia (*Greek Mythology*) *was offered by her father Agamemnon as a sacrifice to Artemis, who saved her and made her a priestess*

35

Land der Griechen mit der Seele suchend." Dies vielzitierte
Wort ist der schönste Ausdruck für die Sehnsucht nach
dem alten Griechenland, die Goethe, seine Zeitgenossen
und spätere Generationen empfanden.[12] Das große dich-
5 terische Symbol für den Versuch deutscher Dichter und
Denker, die deutsche Kultur mit der griechischen zu vermählen,[13] ist der Liebesbund Fausts mit der schönen Helena in Goethes Drama *Faust*. Goethe wußte jedoch,[14]
daß auch die größte Liebe das Vergangene [15] nicht wieder
10 lebendig machen kann. Helena geht aus Fausts Armen, die
nur ihr Gewand festhalten, in die Unterwelt [16] zurück.
Der Geist der griechischen Kultur ist dahin,[17] nur seine
äußeren Formen hat er uns hinterlassen. Trotzdem be-
schworen [18] viele große deutsche Dichter und Philosophen
15 den Geist der Griechen immer von neuem. Hölderlin,
Heine, Nietzsche, um nur ein paar große Namen des neunzehnten Jahrhunderts zu nennen, hätten mit Stefan George,
einem Dichter des zwanzigsten Jahrhunderts, ausrufen
können: „Hellas ewig unsre Liebe!" [19]
20   Dieses eigenartige [20] Phänomen der Griechenliebe und
Griechensehnsucht muß man im Auge behalten,[21] will
man [22] das Lebenswerk Heinrich Schliemanns, eines der
seltsamsten Genies des [23] an seltsamen Genies reichen
neunzehnten Jahrhunderts,[23] in seinen kulturellen und
25 menschlichen Beziehungen [24] richtig verstehen.
    Was ist ein Genie? Manche sagen, Genie sei [25] nichts als

---

[12] **empfinden** to experience   [13] (**vermählen** to wed)
[14] **jedoch** however
[15] **das Vergangene** that which has passed; *s.* #13b
[16] (**die Unterwelt** lower regions, Hades)   [17] **dahin** gone, lost
[18] (**beschwören** to conjure up)
[19] "We pledge our undying love to Greece!"   [20] **eigenartig** peculiar
[21] **etwas im Auge behalten** to keep in mind   [22] *s.* #8b
[23] *Read:* **des neunzehnten Jahrhunderts, das reich an seltsamen Genies
ist;** *s.* #10d
[24] **die Beziehung** relation   [25] *s.* #6g

ungeheure Energie; andere wiederum betonen die natür-
liche Begabung, die das Genie gewöhnlich schon in früher
Jugend zeige. Ein Genie werde also geboren und nicht
gemacht. All das gilt [26] auch von Schliemann. Auch daß
viele Genies etwas von einem Don Quijote [27] an sich haben, 5
läßt sich [28] bei Schliemann leicht nachweisen. Wie der
edle [29] Ritter Don Quijote Idee und Wirklichkeit miteinander verwechselte und dem Phantom einer vergangenen
Zeit nachjagte, so folgte auch Schliemann seinen Ideen,
unbekümmert [30] um die Wirklichkeit, die ihnen oft genug 10
widersprach. Wie sein spanischer Vorgänger erntete [31]
auch er den Spott der „Normalen". Aber hier hört der
Vergleich auf. Schliemann war zwar von phantastischen
Ideen beseelt, aber er hat Ungeheures geleistet. Sein Werk
hat die archäologische Wissenschaft gewaltig bereichert 15
und wird in seiner rein menschlichen Größe unvergessen
bleiben, solange unsere Kultur und unsere Bewertung
menschlicher Leistungen bestehen.

Schliemanns Lebenstraum begann, als er acht Jahre alt
war. Weihnachten 1830 schenkte ihm sein Vater, ein Klein- 20
stadtgeistlicher,[32] eine illustrierte Weltgeschichte für
Kinder, und darin las der kleine Heinrich die uralte Geschichte vom Untergang Trojas. Ein Bild zeigte die bren-
nende Königsburg und einen Teil der gewaltigen Stadt-
mauern. Schliemann fragte seinen Vater, wo die Stadt 25
Troja gelegen hätte, und sein Vater gab ihm eine Antwort,
die ihm damals die meisten gebildeten Europäer gegeben
hätten,[33] daß Troja nur eine Sagenstadt sei. Heinrich
glaubte seinem Vater nicht. Seine kindliche Phantasie

[26] gilt von applies to
[27] Don Quijote *hero of Cervantes' 17th century romance*   [28] *s.* #3a
[29] edel (*inflected form* edl-) noble   [30] (unbekümmert unconcerned)
[31] ernten to harvest; *here* earn
[32] (der Kleinstadtgeistliche small-town clergyman)
[33] gegeben hätten would have given; *s.* #6d

wußte es besser. Damals war es, daß er den Entschluß
faßte,[34] die Stadt Troja zu finden, und er teilte diesen Entschluß seiner Familie mit: [35] „Ich werde die Stadt Troja
ausgraben, wenn ich groß und reich bin."
5 Daß Kinder auch gegen den Widerspruch der Erwach-
senen an einer phantastischen Idee festhalten, ist eine be-
kannte psychologische Tatsache. Europäische Jungen, die
Coopers „Lederstrumpf" lasen, glaubten z.B. fest daran,
daß Amerika noch im 20. Jahrhundert das Land der büffel-
10 jagenden und trapperskalpierenden Indianer wäre. Solche
jugendliche Träume verblassen [36] aber mit zunehmendem
Alter [37] und werden dann durch wirklichkeitsnähere Vorstellungen [38] ersetzt. Nicht so bei Schliemann! Wie viele
Genies verlor auch er nie seine kindliche Erlebnisweise
15 und Erlebniskraft.[39]

Dies eine große Erlebnis aus der Weihnachtszeit von
1830 sollte seinem ganzen späteren Denken eine bestimmte Richtung geben. Was er beim Lesen [40] seines
Kinderbuches erlebt hatte, erlebte er beim Lesen der
20 ganzen sagenhaften Überlieferung der griechischen Literatur. Was Homer oder die Tragödiendichter zu sagen
hatten, war ihm nicht dichterische Erfindung, sondern geschichtliche Wahrheit, und es galt [41] nun, mit dem Spaten
des Archäologen den Beweis dafür im Boden Kleinasiens
25 und Griechenlands zu finden.

Natürlich wäre diese große Illusion nicht möglich gewesen ohne die Griechenverehrung und das im neunzehnten Jahrhundert noch fast unerschütterte [42] Prestige der

---

[34] den Entschluß faßte (formed the resolution) resolved
[35] mit-teilen to inform of   [36] verblassen to fade away
[37] mit zunehmendem Alter (with increasing age) as one grows older
[38] (wirklichkeitsnähere Vorstellungen ideas which come closer to reality)
[39] Erlebnisweise und Erlebniskraft way and intensity of experiencing
[40] beim Lesen while reading
[41] es galt (inf. gelten) it was a matter of
[42] (unerschüttert unshaken)

griechischen Kultur. Zu alledem kommen noch [43] das Interesse für Geschichte und der Glaube an die Naturwissenschaft als Faktoren, die den Geist Schliemanns genau so stark beeinflußten wie der Glaube an das versunkene Kulturparadies der Griechen. Und Schliemann war ein [5] Realist. Trotz seines Lebenstraumes war er ein ziemlich nüchterner [44] Mensch, dem Dichtung als solche unverständlich war. Nur so konnte er ja glauben, daß Homer Geschichte in Hexametern geschrieben hätte. Sein Realismus zeigt sich auch in der planmäßigen Art, mit der er [10] später an der Verwirklichung seines Lebenstraumes arbeitete.

Archäologen brauchen Geld, und daß er bei seinen unorthodoxen Plänen nicht auf die Unterstützung [45] irgendeiner Regierung hoffen konnte, sondern sein eigenes Kapi- [15] tal erwerben mußte, wußte er. Archäologen brauchen aber auch klassische Bildung, und so begann er denn, wie jeder andere deutsche Junge, dessen zukünftiger Beruf höhere Bildung verlangt, das humanistische Gymnasium zu besuchen.[46] [20]

Am Anfang war ihm aber das Schicksal nicht günstig. Sein Vater hatte seine Stellung als Geistlicher verloren, was zur Folge hatte, daß [47] Heinrich die Schule verlassen mußte. Fünf Jahr lang arbeitete der hochbegabte Junge, homerische Träume im Herzen, als Lehrling in einem [25] kleinen Geschäft. Die einzige lebendige Verbindung mit seiner Traumwelt war ein alter Mann, der einst das Gymnasium besucht hatte, und der nach ein paar Gläsern Schnaps homerische Verse rezitierte, an die er sich von seiner

[43] **Zu alledem kommen noch** To all that should be added
[44] **nüchtern** sober   [45] **die Unterstützung** support
[46] **das humanistische Gymnasium zu besuchen** to attend a (German) humanistic Gymnasium, *a secondary school where education in the Classics is emphasized*
[47] **was zur Folge hatte, daß** as a consequence of which

Schulzeit her noch erinnerte. Ohne ein Wort davon zu verstehen,[48] genoß [49] Heinrich den Klang der homerischen Hexameter, und sein Verlangen, aus dem Kleinstadtelend und der Kleinstadtenge herauszukommen, wurde immer 5 stärker.[50] Schließlich hatte er genug Geld zusammen, um an Auswanderung denken zu können. Als Schiffsjunge an Bord eines nach Venezuela bestimmten [51] Schiffes verließ er Deutschland, das er nur gelegentlich und dann als steinreicher Mann und gefeierte Berühmtheit wiedersehen 10 sollte. Nahe der holländischen Küste scheiterte [52] das Schiff, und Schliemann wurde bewußtlos und aus schweren Wunden blutend am Strande gefunden. Der Lebenswille und die ungeheure Energie, die er sein ganzes Leben lang besaß, hatten es dem verhältnismäßig schwächlichen 15 Jungen möglich gemacht, sich zu retten. Im Armenkrankenhaus von Amsterdam kam sein erster Ausflug [53] in die Welt zu einem traurigen Ende.

Von diesem Tiefpunkt an begann Schliemanns märchenhafter Aufstieg. Zunächst erhielt er eine Stelle als Lauf- 20 junge in einem holländischen Geschäftshaus. Der mittellose Neunzehnjährige erkannte sofort, daß die Kenntnis von Fremdsprachen für den Geschäftsmann und für den Archäologen unbedingt nötig waren. Mit einer Energie, die genau so ungeheuer war wie sein Gedächtnis,[54] lernte 25 Schliemann Englisch, Holländisch, Französisch, Spanisch, Portugiesisch und Italienisch. Hier, wie bei anderen Fremdsprachen, die er später erlernte, benutzte er seine eigene höchst originelle Methode. Er lernte ein Buch in der Fremdsprache auswendig—zwanzig Seiten täglich—

---

[48] **Ohne zu verstehen** Without understanding; *s.* #14b
[49] **genießen** to enjoy thoroughly
[50] **immer stärker** stronger and stronger   [51] **bestimmten** bound
[52] (**scheitern** run aground)   [53] **der Ausflug** excursion
[54] das **Gedächtnis** memory

und dann schrieb er Aufsätze, die er sich von einem Lehrer korrigieren ließ,[55] der die Fremdsprache als Muttersprache gelernt hatte. Um z.B. Englisch zu lernen, lernte er Goldsmiths *Vicar of Wakefield* und Scotts *Ivanhoe* auswendig. 5

Schon nach zwei Jahren war Schliemann Buchhalter und Korrespondent einer großen Amsterdamer Firma. Da diese Firma Geschäftsbeziehungen zu Rußland hatte, lernte er Russisch und wurde von seiner Firma als deren [56] Vertreter nach Rußland geschickt. Es dauerte [57] nicht lange, und 10 Schliemann begann in Rußland sein eigenes Geschäft. Elf Jahre lang lebte er dort und verdiente [58] sich als Großkaufmann im Indigohandel ein gewaltiges Vermögen.[59] Er wurde russischer Bürger und heiratete eine Russin aus guter Familie. In Rußland lernte Schliemann Neugriechisch und 15 dann Altgriechisch. Seine Tagebucheintragungen schrieb er von jetzt an fast nur auf altgriechisch, und es ist ein seltsamer Anblick, geschäftliche Dinge in homerischem Griechisch beschrieben zu sehen.

Während eines Aufenthaltes [60] in den Vereinigten Staa- 20 ten wurde er amerikanischer Bürger und vermehrte sein großes Vermögen durch geschickte Goldspekulationen. Immer weniger kümmerte er sich jetzt um sein Geschäft, statt dessen versuchte er, sich durch das Studium der Archäologie in Paris auf seinen neuen Beruf,[61] den Beruf 25 des Archäologen, vorzubereiten.

Im Alter von einundvierzig Jahren zog er sich ganz vom Geschäftsleben zurück, um [62] bis an das Ende seines Lebens die homerische Welt mit viel Schaufelarbeit, genia-

[55] **die er sich von einem Lehrer korrigieren ließ** which he had corrected by a teacher; *s.* #3b
[56] **deren** its, the latter's   [57] **dauern** to last, take
[58] **verdienen** to deserve; *here* earn   [59] das **Vermögen** fortune
[60] der **Aufenthalt** stay   [61] der **Beruf** profession   [62] *s.* #14c

lem [63] Verständnis und lückenhafter Vorbildung [64] im Schutt [65] der Jahrhunderte zu suchen.

Seine russische Frau war aber nicht gewillt, Rußland zu verlassen und ließ sich von ihm scheiden.[66] Nun verheiratete sich Schliemann wieder, und diese Heirat war für ihn ein wahrhaft glückbringender „Fund", obwohl die Werbung [67] auf eine höchst groteske Weise geschah. Schliemann bat einen griechischen Priester, der ihm Sprachunterricht gegeben hatte, ihm ein junges Griechenmädchen von guter Bildung, edler Gesinnung [68] und aufrichtiger Liebe für das klassische Altertum auszuwählen. Der Priester wählte Sophia, und nachdem Schliemann das siebzehnjährige Mädchen gründlich in Homer geprüft hatte, verheiratete er sich mit ihr. Er hätte für seine Lebensweise keine bessere Frau finden können.[69] Sophia liebte ihren Gatten [70] nicht nur, sie war ihm auch eine treue und äußerst fähige Helferin bei seiner Arbeit.

Nun begann Schliemann, von seiner Frau begleitet, mit hundertfünfzig Arbeitern die Ausgrabung Trojas. Diejenigen Gelehrten, die an das Bestehen eines historischen Trojas glaubten, hielten ein türkisches Städtchen Burnarbaschi für den Ort, auf dem die alte homerische Stadt gestanden hätte. Schliemann erschien in Kleinasien, machte Messungen, besah sich die Gegend um Burnarbaschi und war überzeugt, daß dies nicht die Stelle des alten Trojas sein könne. Trotzdem seine gelehrteren Gegner den Kopf schüttelten und sich offen über ihn lustig machten,[71] begann er auf dem Tafelland [72] bei dem Dörfchen Hissarlik

---

[63] **genial** ingenious
[64] (**lückenhafter Vorbildung** preparatory education which showed many gaps)
[65] (**der Schutt** rubble)   [66] **ließ sich von ihm scheiden** divorced him
[67] (**die Werbung** courtship)
[68] **edler Gesinnung** of noble mind and character   [69] *s.* #6f
[70] (**der Gatte** husband)   [71] **sich lustig machen über** make fun of
[72] (**das Tafelland** plateau)

zu graben. Bald fanden sich die Überreste von Häusern und Mauern sowie zahlreiche alte Gefäße,[73] Waffen und Schmucksachen,[74] die Tausende von Jahren alt waren. Der Spott seiner Gegner verstummte, und das gebildete Europa begann sich für diesen wunderlichen [75] Kaufmann zu inte- 5 ressieren, der eine fast übernatürliche Begabung zu besitzen schien.

Schliemann triumphierte und setzte seine Ausgrabungen mit verdoppeltem Eifer fort. Nun begann aber die tragische Ironie im Leben dieses Genies, ihre Rolle zu spielen. 10 In seinem Eifer, das homerische Troja zu finden, und aus Mangel an archäologischen Kenntnissen grub er durch die Stadt hindurch, die heute als das homerische Troja gilt.[76] Schliemann wollte Bestätigungen für homerischen Verse finden, und so kümmerte er sich nicht genügend um die 15 Chronologie der Schichten, die seine Arbeiter ans Tageslicht brachten.

Als er eines Tages mit seiner Frau die Ausgrabungen überwachte, sah er tief im Staub, halb verdeckt, einen Goldschimmer. Sofort ließ er die Aufseher den Arbeitern 20 sagen,[77] daß er Geburtstag habe, und daß sie heute nach Hause gehen könnten. Dann gruben er und seine Frau ein großes Kupfergefäß aus, gefüllt mit feinstem uraltem Goldschmuck. Sophia Schliemann legte den Schatz [78] in ihren Schal, und beide trugen die kostbare Last in ihre Hütte. 25 War Schliemanns Lebenstraum Wirklichkeit geworden? Hatte ihm ein günstiges Geschick den Wunsch erfüllt, für den er jahrzehntelang schwer gearbeitet hatte? Schliemann glaubte es. Für ihn lag auf dem Holztisch seiner Hütte der Beweis dafür, daß er das Troja Homers, ja den Gold- 30

---

[73] (das **Gefäß** vessel) [74] die **Schmucksachen** *pl.* jewels
[75] **wunderlich** strange [76] **gelten als** to be considered to be
[77] **ließ er die Aufseher** . . . **sagen** he had the foremen tell
[78] der **Schatz** treasure

schmuck des Königs Priamus [79] gefunden hatte. Unter den
Kostbarkeiten [80] befand sich ein Diadem, ein wahres
Meisterwerk archaischer Goldschmiedekunst. Es besteht
aus 90 feinen Kettchen,[81] 12 271 Goldringen, 4066 herz-
5 förmigen Plättchen und 16 kleinen Götterfiguren. Schliemann setzte das Diadem seiner Frau auf und sah sie lange
an, während ihm die Freudentränen über die Wangen liefen. Dies Diadem war für ihn nicht nur einer der wert-
vollsten archäologischen Funde seiner Art, es war für ihn
10 vor allem das Diadem der schönen Helena.

Der Schatz des Königs Priamus, das Diadem der schönen Helena—solche phantastischen Ausdeutungen [82]
seiner Funde machten es den Gelehrten, die ihn um seinen
Erfolg beneideten, leicht, ihn einen Dilettanten zu nennen.
15 E i n Gelehrter aber, den der kleinliche Neid seiner Kollegen empörte,[83] trat auf Schliemanns Seite.[84] Es war
Dörpfeld, einer der besten Berufsarchäologen seiner Zeit.
Dörpfeld erkannte das überlegene Genie seines älteren
Freundes an und versuchte,[85] Schliemann davon abzu-
20 halten, seine genialen Funde unwissenschaftlich auszudeuten. In einem Punkte konnte Dörpfeld aber seinen
Freund nicht überzeugen. Schliemann hatte den Goldschmuck in der zweituntersten der sieben Schichten [86] gefunden und war deshalb überzeugt, daß diese Schicht das
25 alte Troja war. Dörpfeld hat der Nachwelt bewiesen, daß
man die zweitoberste Schicht für das homerische Troja
halten müsse. In der zweitobersten der von Schliemann

[79] **Priamus** Priam, *the last king of Troy*
[80] die **Kostbarkeiten** *pl.* jewels   [81] das **Kettchen** small chain
[82] die **Ausdeutung** interpretation
[83] (**empören** to rouse to indignation)
[84] **trat auf Schliemanns Seite** sided with Schliemann
[85] **versuchte, Schliemann davon abzuhalten, . . . auszudeuten** *s.* #12b
[86] (**in der zweituntersten der sieben Schichten** in the lowest but one of the seven strata)

ausgegrabenen Schichten fanden sich die Überreste mächtiger Befestigungswerke [87] und großer Gebäude. Der große Königspalast in dieser Schicht stimmt im Grundriß [88] mit den Palästen von Mykenä und Tiryns [89] überein. Dörpfeld bewies, daß in dieser mykenischen Schicht das Troja lag, 5 das in den großen Kämpfen der homerischen Zeit eine Rolle gespielt hat. Sprach er aber zu Schliemann von diesen Tatsachen, so schüttelte dieser traurig den Kopf, und Dörpfeld gab es bald auf, den großen Traum seines Freundes durch wissenschaftliche Beobachtungen zu 10 stören.

Den Goldschatz schenkte Schliemann mit der Freigebigkeit des königlichen Kaufmanns dem Deutschen Reich. Der Schatz wurde im sogenannten Alten Museum, dem größten Museum Berlins, mit anderen seiner trojanischen 15 Funde ausgestellt. Die Säle, die dazu nötig waren, trugen Schliemanns Namen.

Schliemann war jetzt reich und berühmt. Sein Lebenstraum war erfüllt worden, und er hätte sich jetzt zur Ruhe setzen [90] können, um die Früchte seiner Arbeit zu 20 genießen. Aber ein sonderbarer Goldhunger hatte Schliemann erfaßt.[91] Es war natürlich nicht der gewöhnliche Goldhunger. Schliemann wollte die uralten Goldschätze in Händen halten, von denen die *Ilias* [92] und *Odyssee* [93] berichten. 25

---

[87] die **Befestigungswerke** *pl.* fortifications
[88] (der **Grundriß** ground plan)
[89] **Mykenä** Mycenae, *ancient Greek city, legendary seat of Homeric kings;* **Tiryns** *another ancient Greek city, famous in Greek legends*
[90] zur **Ruhe setzen** to retire   [91] **erfassen** to seize
[92] *Ilias Iliad, Greek epic poem ascribed to Homer, telling of the events of the last year of the Trojan war*
[93] *Odyssee Odyssey, Greek epic poem ascribed to Homer, describing the ten years' wanderings of Odysseus, one of the Greek chieftains in the Trojan War, in returning home after the siege of Troy*

Da war vor allem das „goldreiche Mykenä", die Resi-
denz Agamemnons,[94] von der Homer spricht. Mykenä war
also Schliemanns nächstes Arbeitsfeld. Wieder glaubte er
wörtlich, was Homer und die griechische Überlieferung
5 von Agamemnon und der Tragödie seines Hauses zu sagen
hatten. Von seiner Frau begleitet, ging er nach Mykenä
und begann zu graben, wieder an einer Stelle, wo die
Gelehrten es für aussichtslos [95] hielten. Diesmal aber hatte
er Schwierigkeiten. Die türkische Regierung hatte einen
10 langen Prozeß mit Schliemann geführt,[96] denn der trojani-
sche Goldschatz war auf türkischem Gebiet gefunden
worden, und die türkische Regierung glaubte, ein Recht
auf den Schatz zu haben. Da zeigte es sich aber, daß
Schliemann ein erfahrener Geschäftsmann war. Er zahlte
15 eine gewisse Geldsumme, die ihn nicht schmerzte, die
die Türken zufrieden stellte [97] und die natürlich viel zu
klein war für den historischen Wert seines Fundes.

Die griechische Regierung war dem Prozeß mit Interesse
gefolgt. Obwohl Schliemann griechischer Bürger gewor-
20 den war und eine Griechin geheiratet hatte, traute man
ihm in Griechenland nicht. Wie hätten die Regierungsbeamten auch diesen sonderbaren Fremden verstehen
können! [98] Das Gold, das er suchte und fand, war für ihn
das Gold homerischer Könige; für sie bedeutete es, daß er
25 sich auf Kosten Griechenlands bereichern wollte. Es wurden deshalb Soldaten zu den Ausgrabungen in Mykenä
geschickt, die den Fremden bewachen und ihn daran
hindern sollten, Gold oder Kunstwerke ins Ausland zu
schmuggeln. Dieser Verdacht [99] erbitterte den idealisti-
30 schen Schliemann aufs äußerste.[1]

[94] **Agamemnon** *king of Mycenae, brother of Menelaus, and leader of the
Greeks in the Trojan War*
[95] **aussichtslos** hopeless   [96] **einen Prozeß führen** to conduct a lawsuit
[97] **zufrieden stellen** to satisfy   [98] *s.* #6f
[99] **der Verdacht** suspicion   [1] **aufs äußerste** extremely

Nun zeigte es sich wieder, was für eine wundervolle Frau Sophia für ihren temperamentvollen Mann war. Mit weiblichem Takt und der Kenntnis ihrer griechischen Mitbürger erreichte sie mehr als Schliemann mit all seinen Wutausbrüchen und Drohungen. Als Schliemann einmal 5 ein beleidigendes Telegramm an die griechische Regierung schickte, änderte sie ohne Schliemanns Wissen in letzter Minute den Wortlaut.[2] Das Resultat war, daß die Regierung nachgab, und Schliemann prahlte [3] noch lange vor seiner Frau, wieviel er mit seinem energischen Protest er- 10 reicht habe.

Trotz aller Schikanen, Mißverständnisse und der gewaltigen Sommerhitze des Jahres 1876 arbeitete Schliemann wie ein Besessener.[4] Er begann auf der Burg innerhalb der Ringmauer zu graben, was den Fachleuten [5] vollkom- 15 men sinnlos schien. Aber wieder sollte der geniale Dilettant die Fachleute beschämen. Bald fand er eine Anzahl alter Gräber, und bald schimmerte auch der erste Goldring durch den Staub. Sofort bildeten die Soldaten einen Kordon um die Fundstelle. Die Arbeiter wurden entlassen, 20 und unter Schliemanns Leitung grub Sophia, die die feinsten Hände hatte, mit einem Federmesser vorsichtig weiter. Ein gewaltiger Goldschatz kam zum Vorschein.[6] Wichtiger aber waren für Schliemann die Leichen,[7] die er fand. Bei dem grössten Schatz fand er die Leiche eines Mannes 25 mittleren Alters.[8] Das Gesicht des Mannes war von einer Goldmaske bedeckt. Schliemann nahm die Maske ab und zeigte auf die mumifizierten menschlichen Reste. „Ich habe Agamemnon gefunden," murmelte er. Er murmelte es nicht nur. Er veröffentlichte seine Theorie, die für ihn ein 30

---

[2] der **Wortlaut** wording   [3] (**prahlen** to boast)
[4] (**ein Besessener** one who is possessed by the devil)
[5] der **Fachmann, –leute** expert   [6] **zum Vorschein kommen** to appear
[7] (die **Leiche** corpse)
[8] **eines Mannes mittleren Alters** of a middle-aged man

Dogma war, in einem dicken Buch, erntete aber wieder nur
den Spott der gelehrten Welt.

Diesmal war seine Theorie unglaublich phantastisch. Da
das eine Auge des Toten halb offen stand, benutzte Schlie-
5 mann dies für seine Theorie. Er erinnerte seine Leser
daran, dass der Überlieferung nach [9] Klytemnestra ihrem
ermordeten Gatten nicht die Augen geschlossen hätte. Mit
Recht [10] fragte ihn ein Kritiker, wie er es erkläre, dass sich
an dem Schädel [11] des Toten keine Löcher oder Bruch-
10 stellen finden ließen.[12] Der gesamten [13] griechischen literarischen Überlieferung nach war Agamemnon beim Baden von Aegistheus, dem Geliebten Klytemnestras, mit
einer Axt erschlagen worden. Schliemann ärgerte sich sehr
über solche Kritik. Seinen Freunden sagte er: „Nun gut,[14]
15 wenn der Tote nicht Agamemnon ist, dann ist es vielleicht
Herr Schulze. Von jetzt an wollen wir [15] ihn Herrn Schulze
nennen!" In diesen Worten erkennen wir die Bitterkeit
eines Mannes, der seine Traumwelt beleidigt fühlte. Auf
die taktvollen Bitten Dörpfelds ließ er die Polemik um
20 Agamemnon fallen.[16]

Jedenfalls [17] hatte Schliemann es für spätere Forscher
klar gemacht, dass Mykenä der Mittelpunkt einer eigenar-
tigen Kultur war, die sich um fünfzehnhundert v. Chr.[18]
über das Mittelmeergebiet erstreckte. Schliemanns nächste
25 Ausgrabung machte das noch klarer. In Tiryns, in der Nähe
von Mykenä, grub er einen Königspalast aus, der im
Grundriß mit der Beschreibung Homers und mit den
Palästen in Troja und Mykenä übereinstimmt.

Erst heute können wir all diese kulturellen Zusammen-
30 hänge richtig verstehen, da inzwischen der große ameri-

---

[9] **nach** according to; *s.* #9   [10] Mit Recht Justly
[11] (**der Schädel** skull)   [12] *s.* #3a   [13] **gesamt** entire
[14] **Nun gut** Very well   [15] **wollen wir** let us; *s.* #6b
[16] **fallen lassen** to drop   [17] **Jedenfalls** At any rate
[18] **v. Chr. = vor Christus** B.C.

kanische Archäologe Arthur Evans auf Kreta [19] eine Kultur
entdeckt hat, die man die kretische oder minoische [20] Kultur nennt. Die mykenische Kultur scheint ein Zweig dieser
großen Kultur gewesen zu sein. Schliemann besuchte oft
die Familie Evans, und so lernte ihn der kleine Arthur [5]
Evans kennen. Er hat den sonderbaren Gast seines Vaters
nie vergessen. Er erinnere sich an ihn, sagte er, als an einen
kleinen, schlanken Mann, der durch seine exotische
Brille [21] tief in die Erde zu blicken schien.

Schliemanns Lebenswerk war beendet. Er fuhr aber [10]
trotzdem fort, auf dem Tafelland von Hissarlik das alte
Troja auszugraben. Er machte lange Reisen, um seine
archäologischen und ethnologischen Kenntnisse zu erweitern. Seine Familie lebte in Athen in einem Marmorpalast,
den er sich dort hatte bauen lassen.[22] Seiner Frau schrieb er [15]
nach wie vor [23] zärtliche Briefe—auf altgriechisch. Mit
seinem neunzigjährigen Vater, den er zwang, auf lateinisch
zu schreiben, stritt [24] er sich um grammatische Punkte und
nebenbei frischte er seine Kenntnisse des Arabischen auf.
Das Studium des Arabischen aber sollte indirekt die Ur- [20]
sache [25] von Schliemanns Tod werden.

In den Winterstürmen, die über das Dörfchen Hissarlik
und das alte Troja brausten, hatte sich Schliemann erkältet.
Diese Erkältung führte zu einem schweren Ohrenleiden;
er wurde operiert und fühlte sich eine Zeitlang besser. [25]
Weihnachten 1890 kam heran, und Schliemann, der gerade
in Frankreich war, machte sich auf den Weg,[26] um das
Weihnachtsfest in Athen im Kreise seiner Familie verleben
zu können. Während der langen Bahnfahrt studierte er

[19] **Kreta** Crete, *island in Mediterranean Sea*
[20] minoische Minoan, *designating the culture of Crete which dates from
about 3000 to about 1100 B.C.*
[21] die **Brille** (pair of) spectacles   [22] *s.* #3b
[23] **nach wie vor** as usual   [24] sich **streiten** to quarrel
[25] die **Ursache** cause   [26] **machte sich auf den Weg** started out

Arabisch und vergaß in seinem Eifer, sich Watte [27] in die
Ohren zu stopfen, wie ihm das sein Arzt befohlen hatte.
Der Wagen war kalt und zugig,[28] und Schliemanns Ohrenleiden wurde schlimmer. In Neapel mußte er seine Reise
5 unterbrechen und zu einem Arzt gehen. Der Arzt erkannte
nicht sofort, daß Schliemann schwer krank war, und
schickte ihn nach kurzer Untersuchung [29] in sein Hotel
zurück. Schliemann brach auf der Straße zusammen, am
ganzen Leibe gelähmt, unfähig, ein Wort zu sprechen. Da
10 er, wie viele Gelehrte dieser Zeit, sein Äußeres [30] vernach-
lässigte, hielt man ihn zuerst für einen Armen. Dann fand
man Gold in seinen Taschen und schließlich machte man
ausfindig, daß er der berühmte Schliemann war. Sofort
wurden alle Spezialisten Neapels in Schliemanns Hotel
15 gerufen. Aber es war zu spät. Während die Ärzte sich noch
berieten,[31] starb der große Entdecker in seinem kleinen
kalten Hotelzimmer, ohne seine Frau und seine zweite
Heimat Griechenland noch einmal gesehen zu haben.

EXERCISES

A. Questions

1. Was ist die Bedeutung des Zitates aus Goethes Drama *Iphigenie* „Das Land der Griechen mit der Seele suchend"?
2. Wie nennt man einen Menschen, der dem Phantom einer
vergangenen Zeit nachjagt?
3. Wie wurde der junge Schliemann mit Troja bekannt?
4. Inwiefern las Schliemann den Homer und die griechischen
Tragödiendichter anders als die Philologen seiner Zeit?
5. Warum wurde Schliemann ins Armenkrankenhaus von
Amsterdam gebracht?
6. Inwiefern war Schliemann für das Erlernen von fremden
Sprachen begabt?

---

[27] (die Watte cotton)   [28] (zugig draughty)
[29] die Untersuchung examination
[30] sein Äußeres his outward appearance   [31] sich **beraten** to confer

7. Wie verdiente Schliemann „die erste Million"?
8. Warum ließ sich seine russische Frau von ihm scheiden?
9. Wo hatte die alte homerische Stadt Troja gelegen?
10. Warum suchte Schliemann die Stadt Troja in der falschen Schicht?
11. Warum nannten die Gelehrten ihn einen Dilettanten?
12. Warum mußte Schliemann der türkischen Regierung Geld geben?
13. Wie beschämte Schliemann die Fachleute bei den Ausgrabungen in Mykenä?
14. Was erzählt uns die griechische Überlieferung von Agamemnons Tod?
15. Warum können wir erst heute die Bedeutung der Schliemannschen Ausgrabungen richtig verstehen?
16. Was sind einige Exzentrizitäten des alten Schliemanns?

B. Vocabulary Review

1. die **Art**		24. die **Freigebigkeit**
2. der **Staub**		25. der **Neid**
3. der **Ort**		26. **beneiden**
4. der **Beruf**		27. **leisten**
5. der **Beweis**		28. die **Leistung**
6. die **Beziehung**		29. **widersprechen**
7. die **Begabung**		30. der **Widerspruch**
8. der **Entschluß**		31. **erleben**
9. der **Versuch**		32. das **Erlebnis**
10. die **Verwirklichung**		33. **schenken**
11. das **Gedächtnis**		34. **brauchen**
12. die **Gegend**		35. **sich streiten**
13. die **Weise**		36. **zwingen**
14. die **Kenntnis**		37. **dauern**
15. die **Drohung**		38. **retten**
16. der **Eifer**		39. **sich ärgern**
17. die **Stellung**		40. **genießen**
18. die **Tatsache**		41. **geschchen**
19. die **Sehnsucht**		42. **berichten**
20. das **Schicksal**		43. **beleidigen**
21. der **Mittelpunkt**		44. **beschreiben**
22. der **Ausdruck**		45. **begleiten**
23. die **Anzahl**		46. **beeinflussen**

47. betonen	74. fest
48. bereichern	75. fast
49. sich erinnern	76. damals
50. erreichen	77. gewöhnlich
51. erkennen	78. ziemlich
52. ersetzen	79. trotz
53. veröffentlichen	80. trotzdem
54. verdienen	81. schließlich
55. verlassen	82. gelegentlich
56. verehren	83. verhältnismäßig
57. verwechseln	84. zunächst
58. empfinden	85. jedenfalls
59. fortfahren	86. deshalb
60. überzeugen	87. obwohl
61. übereinstimmen	88. gerade
62. traurig	89. während (conj.)
63. wörtlich	90. eigentlich
64. sinnlos	91. erst
65. vorsichtig	92. jedoch
66. gründlich	93. bei
67. fähig	94. sich lustig machen über
68. günstig	95. gelten als
69. lebendig	96. sich kümmern um
70. gewaltig	97. halten für
71. schlank	98. noch einmal
72. gebildet	99. 5 Jahre lang
73. genügend	

C. Practice Sentences

1. Erst im zwanzigsten Jahrhundert erkannte man den Wert dieser Ausgrabungen.

2. Das Gelernte muß geübt werden, sonst wird es schnell vergessen.

3. Der oft sinnlose Widerspruch seiner ihn um seine Erfolge beneidenden Kollegen verbitterte den idealistischen Mann.

4. Es läßt sich nicht beschreiben, welchen Eindruck dies Erlebnis auf ihn machte.

5. Was von dem griechischen Altertum gilt, gilt auch von dem römischen Altertum: Wir dürfen nicht vergessen, daß das wahre Leben dieser Zeiten sich nicht aus den Meister-

werken der Literatur und Kunst allein rekonstruieren läßt.

6. Ohne sich darum zu kümmern, daß seine Schmerzen immer größer wurden, ging er weiter, bis er auf der Straße zusammenbrach.

7. Er ließ sich von seiner Sekretärin die von deutschen Geschäftsfreunden geschickten Briefe übersetzen, um ihre Deutschkenntnisse zu prüfen.

8. Er gilt bei seinen Freunden als großer Gelehrter; ich halte ihn aber für einen Dilettanten.

9. Den Beweis für die Richtigkeit seiner Theorien sah man im Erfolg seiner Ausgrabungen.

10. Es sei noch einmal darauf hingewiesen, daß dies Experiment nicht als Beweis gelten kann.

✤ 4 ✤

SCHWEITZER

Ein moderner Christ [1]

In Tausenden von Büchern, Aufsätzen [2] und Reden wird mit wissenschaftlicher Objektivität oder mit prophetischem Eifer festgestellt, daß unsere Kultur bis in die Wurzeln [3] krank sei und einer Radikalkur bedürfe, [4] oder, wie
5 einige behaupten, ihrem Ende entgegengehe. Der moderne Mensch wird getadelt, [5] daß er von der Technik und der Naturwissenschaft, auf die er so stolz sei, nicht den richtigen Gebrauch mache. Anstatt [6] die Erde in ein Paradies zu verwandeln, [7] was zum ersten Mal in der Menschheits-
10 geschichte in seiner Macht läge, schaffe der Mensch nur noch mehr Massenelend. Es [8] seien [9] die Gründe für Kriege, Revolutionen, Hungersnöte in der Schwäche des Menschen zu suchen, dem es an Liebe für seine Mitmenschen und an sozialem Gewissen fehle. [10] Solange dem
15 Menschen das große Leiden um ihn gleichgültig sei [11] und er nur an seine eigene Sicherheit denke—darin stimmen die meisten Kritiker überein—sei er nicht zu retten. [12]

[1] der **Christ** Christian   [2] der **Aufsatz** article   [3] die **Wurzel** root
[4] **bedürfen** be in need of
[5] **wird getadelt, daß er . . . nicht mache** is being reproached for not making
[6] Anstatt . . . zu; s. #14a   [7] **verwandeln** to transform
[8] *anticipatory* es; *omit. The real subject is* **Gründe**
[9] **seien . . . zu suchen** must be sought   [10] **dem es fehle** who lacks
[11] **dem Menschen . . . gleichgültig sei** man is indifferent to
[12] **sei er nicht zu retten;** *s.* #4

54

Da ist es nun ein tröstender Gedanke, daß es immer noch Menschen gibt, denen derartige Vorwürfe nicht gelten.[13] Sieht man sich im täglichen Leben um, so findet man überall Beispiele selbstloser Menschenliebe, genug jedenfalls, um hoffen zu dürfen, daß die Mauern, die der Haß [5] baut, immer wieder eingerissen werden, und unser Zusammenleben auf diesem Planeten möglich bleibt.

Hin und wieder gibt es auch in der Geschichte einen ganz großen Menschen, den das Elend der Menschheit zu Taten der Menschenliebe bewegt. In unserem Zeitalter ist [10] Albert Schweitzer solch ein Mensch.

Schweitzers Leben begann 1875 im Pfarrhause eines elsässischen [14] Dorfes. Beim Anhören des Orgelspieles in der Dorfkirche entwickelte sich das musikalische Talent des Kindes. Hier sollte es sich bald zeigen, daß Schweitzer [15] in allem das höchste Ziel zu erreichen suchte. Er ruhte nicht, bis er die ganze Kunst des Orgelspiels beherrschte und darüber hinaus die technischen Probleme des Orgelbaues gründlich studiert hatte. Durch unermüdliche Arbeit wurde er einer der besten Orgelspieler und Bach- [20] kenner Europas. Sein 1906 geschriebenes Buch *Deutsche und französische Orgelbaukunst und Orgelkunst* [15] gilt als Ausgangspunkt für das erneute europäische Interesse für die Orgel und die Orgelmusik. Nicht zu vergessen ist seine im selben Jahre veröffentlichte Monographie über Johann [25] Sebastian Bach, die er mit einer kritischen Ausgabe der Präludien und Fugen ergänzte. Seine äußerst sorgfältige kritische Arbeit an den Ausgaben und seine praktischen Belehrungen [16] über das Spielen Bachscher Werke haben dies Buch zum führenden Bachwerk unserer Zeit gemacht. [30] Ein international berühmter Orgelspieler und Bach-

[13] gelten apply to
[14] elsässisch Alsatian (*Alsace was ceded to France in 1919*)
[15] *German and French Art in Organ-Building and Organ-Playing*
[16] (die **Belehrung** instruction)

kenner zu werden, ist eine hervorragende [17] Leistung und
würde den meisten Musikern oder Musikforschern als Lebensaufgabe mehr als genügen. Für Schweitzer war das
aber nur Nebenbeschäftigung.

5   Schon in seinen Knabenjahren ließ sich bei Schweitzer
eine ausgesprochene Neigung [18] zu ethischem Denken erkennen. In seiner Autobiographie *Aus meinem Leben und
Denken* berichtet er uns, daß er oft darüber nachdachte,
wieso er es verdiene, als Kind einer vermögenden [19] Fa-
10 milie die Höhere Schule [20] zu besuchen, während andere,
unter weniger glücklichen Verhältnissen [21] Geborene, ihre
Tage in geistiger Armut verleben mußten. Mit den Jahren
wurde es ihm immer klarer, daß hier Arbeit zu leisten, daß
soziale Ungerechtigkeit überall zu bekämpfen war.[22]

15 Was war zu tun? Zunächst schien es ihm, daß der Beruf
des Geistlichen die beste Gelegenheit biete, im Dienste der
leidenden Menschheit zu arbeiten. Im Herbst des Jahres
1893 begann er seine theologischen und philosophischen
Studien an der Straßburger Universität. Von Anfang an
20 zeigte der junge Student dieselbe liberale Gesinnung,[23] die
ihm in seinem späteren Leben bei den Orthodoxen manche
Schwierigkeit verursachen sollte. Wer [24] ihn näher kannte,
der wußte, daß Schweitzers Liberalismus in theologischen
Dingen aus ernsthaftem Nachdenken und ehrlicher Über-
25 zeugung stammte. Er beendete seine Studien mit dem
glänzend bestandenen [25] theologischen Examen und dem
Doktor der Philosophie. Der Titel seiner Doktorarbeit

[17] (hervorragend outstanding)   [18] die Neigung inclination
[19] vermögend well-to-do
[20] die Höhere Schule secondary school, *i.e.* the Gymnasium, *comprising 5th
to 8th grade of grade school, high school, and 1 to 2 years of college*
[21] die Verhältnisse *pl.* circumstances
[22] *Note that* war *governs two infinitives:* war zu leisten was to be done *and*
war zu bekämpfen was to be opposed
[23] (die Gesinnung views)   [24] Wer . . . , der He who
[25] glänzend bestandenen which he passed brilliantly

lautete: [26] „Die Religionsphilosophie Kants." [27] Sie enthielt so viele neue Gedanken und stellte die schwierigen
Probleme, mit denen sich der Philosoph und auch der Theologe beschäftigen müssen, so geschickt dar,[28] daß sie von
einem bekannten Verleger veröffentlicht wurde. Es [29] be- 5
stand kein Zweifel, dieser junge Doktor der Philosophie
hatte eine glänzende Gelehrten- oder Schriftstellerlaufbahn vor sich.

Zunächst wurde nun Schweitzer Privatdozent [30] für
Neues Testament an der Universität Straßburg und evan- 10
gelischer Geistlicher an einer der Straßburger Kirchen.
Seine theologische Gelehrtenarbeit setzte er als Universi-
tätsprofessor natürlich fort und veröffentlichte die Ergeb-
nisse seiner Studien. Hier ist nun zu bemerken, daß er
einen für den Jahrhundertbeginn höchst radikalen Ge- 15
danken vertrat. Er behauptete, die Lehre Christi sei so zu
verstehen,[31] daß Jesus selber an das bevorstehende Ende
der Welt geglaubt habe. Um also das Dogma des Christentums mit unserer Zeit in Einklang [32] zu bringen, müsse
man die ewigen Wahrheiten des Christentums mit mo- 20
dernen Reformen verbinden. Bei solchen Anschauungen [33]
war es natürlich nicht zu vermeiden, daß Schweitzer in
religiöse Streitigkeiten mit anderen Theologen geriet.[34]
Aber auch die Gegner seiner Anschauungen wußten, daß
sie es mit einem Menschen zu tun hatten, der im wahren 25
Sinne des Wortes ein Christ war. Was ein Christ im wahren
Sinne des Wortes sei, hat Schweitzer oft genug gesagt: Es
ist ein Mensch, der seine Mitmenschen mehr liebt als sich
selbst.

[26] (lautete was)
[27] Kant Immanuel Kant, *famous German philosopher of the 18th century*
[28] (dar-stellen to present)   [29] Es There
[30] der **Privatdozent** (*unsalaried*) lecturer
[31] sei so zu verstehen must be understood to mean
[32] (der **Einklang** harmony)   [33] (die **Anschauung** view)
[34] (geraten *here* become involved)

Trotz seiner theologischen Lehrtätigkeit und trotz der erfolgreichen Arbeit als Geistlicher war Schweitzer aber nicht mit seinem Leben zufrieden. Im Herbst des Jahres 1905 erhielten seine Eltern und nächsten Freunde eine
5 Nachricht von ihm, die wie ein Blitz aus heiterem Himmel [35] gewirkt haben muß.[36] Schweitzer erklärte, daß er mit Beginn des Wintersemesters Medizin studieren werde, um nach beendetem Studium nach Äquatorialafrika als Missionsarzt zu gehen.

10   Niemand verstand ihn, seine Freunde und Verwandten versuchten, ihn zu überreden, diese idealistische Torheit [37] aufzugeben. Warum wollte er seine glänzende Laufbahn als Theologe, Philosoph und Schriftsteller im Alter von dreißig Jahren abbrechen, um ein Studium zu beginnen,
15 das Jahre seines Lebens verbrauchen [38] würde? Und was sollte nach diesem Studium kommen? Warum wollte er sich in die Wildnis zurückziehen? Wenn er auch einigen leidenden Eingeborenen [39] Hilfe brächte, so wäre das doch nur ein Tropfen auf den heißen Stein.[40] Andere dachten,
20 daß er wirklich den Verstand verloren hätte.[41] Man vermutete [42] sogar eine unglückliche Liebesgeschichte.

Schweitzer ließ sich nicht überreden.[43] Was er jetzt tat, hatte er schon seit langem geplant, und er hatte das Für und Wider [44] reiflich bedacht. In seiner Autobiographie
25 gibt er uns einen ausführlichen Bericht über seine Motive, der es klar macht, wie wenig ihn seine Freunde verstanden. Daß bei einem Mann wie Schweitzer die Freude am aben-

---

[35] ein Blitz aus heiterem Himmel a bolt from the blue
[36] wirken wie to produce the effect   [37] (die Torheit folly)
[38] (verbrauchen to consume)   [39] der Eingeborene native
[40] ein Tropfen auf den heißen Stein (a drop on the hot stone) a drop in the bucket
[41] den Verstand verlieren (lose one's sense) go out of one's mind
[42] vermuten to suspect
[43] ließ sich nicht überreden did not permit himself to be persuaded
[44] das Für und Wider the pros and cons

teuerlichen Leben nicht in Frage kam, wußten sie zwar.
Was sie aber nicht wußten, war, daß hier ein Mann den
Mut hatte, das höchste Gebot des Christentums, das Gebot
der Menschenliebe ernst zu nehmen.[45] Schweitzer sagt, daß
ein Jesuwort der Leitstern seines Lebens geworden sei: 5
„Wer sein Leben behalten will, der wird es verlieren, und
wer sein Leben verliert um meinet- und des Evangeliums
willen,[46] der wird es behalten."

Daß er in gewissem Sinne sein Leben verlieren würde,
wußte Schweitzer. Die schwere ärztliche Arbeit tief im 10
französischen Kongo ließ ihm keine Zeit für seine geliebte
Musik und wenn er, wie er das später tat, an seinen philosophischen Werken weiterarbeiten wollte, so konnte er
das nur in erschöpftem [47] Zustand tun.

In seiner Autobiographie spricht Schweitzer auch aus- 15
führlich darüber, warum er gerade den Arztberuf gewählt
habe. Er schreibt, er habe Arzt werden wollen, weil er
eingesehen habe, daß Taten besser seien als Worte. Er
selber habe jahrelang mit Worten gearbeitet, er habe von
der Religion der Liebe gesprochen und habe immer wieder 20
gesehen, wie erfolglos all sein Reden gewesen sei. Als Arzt
habe er die beste Gelegenheit, die Religion der Liebe in
die Tat umzusetzen,[48] und etwas für die leidenden Menschen zu tun, anstatt nur für sie [49] zu reden. Er habe in
den Missionsblättern gelesen, daß es in Äquatorialafrika 25
nicht genug Ärzte gäbe, und niemand da sei, der den
kranken Eingeborenen helfe. So habe er sich entschlossen,
der Arzt dieser Ärmsten der Armen zu werden.

Man hat Schweitzer oft den Vorwurf gemacht, er tue, als

---

[45] ernst nehmen (take seriously) be strict in the observance of
[46] um meinet- und des Evangeliums willen for my sake and for the sake
of the Gospel (Mark 8.35)
[47] (erschöpft exhausted)
[48] in die Tat umzusetzen (to change into the deed) to carry out
[49] (für sie in their behalf)

gäbe es [50] kein Elend in Europa. Man brauche nicht bis
Afrika zu reisen, wenn man etwas für die leidende Menschheit tun wolle. Schweitzer antwortete auf solche Fragen,
daß er die Schuld der Europäer an den Eingeborenen be-
5 sonders tief empfinde. Die Brutalität, die die Weißen
hauptsächlich in Afrika gezeigt haben, hatte das christliche
Gewissen Schweitzers aufs tiefste [51] erschüttert. So betrachtete er die leidenden Eingeborenen Afrikas als die
hilflosesten seiner Mitmenschen und machte die ärztliche
10 Arbeit in Lambaréné, einer französischen Mission im
Kongo, zu seiner Lebensaufgabe.

Schweitzer besiegte alle Schwierigkeiten, er bestand
alle medizinischen Examen, was bei einem Mann von
seiner Intelligenz und Willenskraft zu erwarten war. Er
15 zeigte erstaunliche Geduld, als die verschiedenen Missionsgesellschaften ihm offenes Mißtrauen zeigten, anstatt
ihn mit offenen Armen aufzunehmen. Obwohl Schweitzer
ihnen versicherte, daß er nur als Arzt, nicht als Prediger zu
den Eingeborenen ginge, fürchteten die orthodoxen Vor-
20 stände der Missionsverbände,[52] seine Gegenwart könnte
dem rechten Glauben ihrer Gemeinden [53] schaden.
Schließlich überzeugte Schweitzer alle von dem rein hu-
manitären Charakter seiner Absichten, und nachdem er das
nötige Geld zusammengebracht hatte, verließ er 1913, von
25 seiner Frau begleitet, Europa, um in Lambaréné seine ärztliche Tätigkeit [54] zu beginnen.

Schon während er Medizin studierte, hatte er über seine
Kraft hinaus [55] gearbeitet, denn er war nebenbei immer
noch Prediger. Nun aber begann die schwerste Arbeit. Bei

[50] **er tue, als gäbe es** he acted as though there existed
[51] **aufs tiefste** most deeply
[52] die **Vorstände der Missionsverbände** (governing) boards of missionary
alliances
[53] die **Gemeinde** community; *here* mission station
[54] die **Tätigkeit** activity; *here* practice
[55] **über seine Kraft hinaus** (beyond his strength) too hard

seiner Ankunft in Lambaréné war nicht einmal ein Dach
vorhanden, unter dem er operieren konnte. Während
Schweitzer noch seine Instrumente und Medikamente aus-
packte, kamen schon die ersten Patienten. Von dreihundert
Kilometer [56] Entfernung kamen die kranken Eingeborenen 5
oder wurden von ihren Verwandten zu ihm getragen. Geduldig warteten sie vor der Hütte des weißen Mannes, der
von weit her übers Meer gekommen war, um ihnen in ihrem
Elend zu helfen. Von morgens bis abends [57] mußte
Schweitzer am Operationstisch stehen oder zwischen Ope- 10
rationen den Eingeborenen beim Bau des Krankenhauses
helfen.

Die einzige ärztliche Hilfe, die ihm zur Verfügung
stand,[58] leistete ihm [59] seine Frau, die eine gelernte Krankenpflegerin war. Das Geld für das Unternehmen reichte 15
im Anfang kaum aus. Schweitzer hatte es durch Orgelkonzerte verdient und von Freunden erbettelt. Dieses
Wort gebraucht er in seiner Autobiographie, und man kann
zwischen den Zeilen lesen, daß diesem Mann kein Opfer
für sein Werk zu groß war. 20

Enttäuschungen blieben ihm nicht erspart.[60] Die Mission
machte immer von neuem Schwierigkeiten aus Furcht vor
Schweitzers liberalen theologischen Anschauungen. Das
war aber noch nicht das Schlimmste. Nach Ausbruch des
Krieges 1914 hielten es die Franzosen für nötig, ihn und 25
seine Frau in ein Gefangenenlager zu stecken. Sie erkann-
ten nicht den Wert seiner Arbeit und konnten nur sehen,
daß er und seine Frau deutsche Staatsangehörige [61] waren.
Aber der Krieg konnte sein Werk nur unterbrechen, nicht

---

[56] **Kilometer** *about ⅝ of a mile*
[57] **Von morgens bis abends** From morning till night
[58] **zur Verfügung stehen** to be at one's disposal
[59] **leistete ihm** was rendered him by
[60] **blieben ihm nicht erspart** he was not spared
[61] (der **Staatsangehörige** subject)

beenden. In den Nachkriegsjahren reiste er durch alle Hauptstädte Europas und verdiente durch Orgelkonzerte eine beträchtliche Summe Geldes, um ein größeres Krankenhaus in Lambaréné zu bauen. Er brachte aus Europa
5 Ärzte und Krankenpfleger mit, und Lambaréné wurde unter seiner Leitung ein vorbildliches [62] Tropen-Krankenhaus.

Jetzt hatte er etwas freie Zeit und er benutzte sie zu neuen Studien und einer produktiven schriftstellerischen
10 Tätigkeit. Das Geld, das ihm seine Bücher einbrachten, gebrauchte er für sein Krankenhaus. Hauptsächlich schrieb er jetzt philosophische Werke wie z.b. *Verfall und Wiederaufbau der Kultur* [63] (1923), *Das Christentum und die Weltreligionen* (1924).
15 Im Mittelpunkt seiner Gedanken und seiner Handlungen stehen immer die ethisch-sozialen Probleme unserer Zeit. Die Welt, sagt Schweitzer, bleibt uns immer ein Rätsel. Wir kennen nur ihre äußere Form; ihren Zweck verstehen wir nicht. Weil das so ist, muß der Wille sich ein ethisches
20 Ziel setzen. Nur durch die Tat erhält unser Leben seinen Sinn. Vom Christentum sagt er in seinen letzten Werken etwa das folgende: Der christlich denkende Mensch muß dahin gelangen, Ehrfurcht vor allem Lebenden zu fühlen.[64] Zu dieser Ehrfurcht kann er aber nicht durch bloßes Den-
25 ken kommen, er muß sie sich durch helfende und dienende Liebe erwerben. Nur durch Ehrfurcht und Liebe aber kann man Gott erkennen.

Ein beispielhaftes Leben wie Schweitzers muß auf viele Menschen eine Wirkung ausüben,[65] wie es das Leben der
30 Heiligen in vergangenen Jahrhunderten getan hat. Es ist aber immer wieder zu betonen, daß Schweitzer in jedem

---

[62] **vorbildlich** model   [63] *The Decay and Restoration of Civilization*
[64] **muß dahin gelangen, Ehrfurcht vor allem Lebenden zu fühlen** must reach the point where he feels reverence toward all things living
[65] **eine Wirkung ausüben auf** (exert an effect on) to influence

Sinne des Wortes ein moderner Mensch ist. Ob ein wissenschaftlich denkender und bewußt handelnder Mensch des
zwanzigsten Jahrhunderts mit seinen Taten und Gedanken
mit den Heiligen vergangener Jahrhunderte verglichen
werden darf, ist unwichtig. Wichtig ist, daß hier ein wahr- 5
haft moderner Mensch in wahrhaft christlicher Art ein
heldenhaftes Leben führt, welches Christen aller Konfes-
sionen zum Vorbild [66] dienen kann.

EXERCISES

A. Questions

1. Was halten viele für den Grund des modernen Massen-
   elends?
2. Was sind die wichtigsten Veröffentlichungen Schweitzers
   auf dem Gebiete der Musik?
3. Über welche soziale Ungerechtigkeit dachte Schweitzer
   schon in seinen Knabenjahren nach?
4. Für was für einen Beruf schien Schweitzer hochbegabt zu
   sein?
5. Wegen welcher Anschauung geriet Schweitzer mit anderen
   Theologen in religiöse Streitigkeiten?
6. Wie nannten Freunde und Verwandte Schweitzers
   Wunsch, als Missionsarzt nach Afrika zu gehen?
7. Was erzählt uns Schweitzer in seiner Autobiographie über
   das wahre Motiv seiner Handlung?
8. Welche Opfer mußte Schweitzer seinem neuen Beruf
   bringen?
9. Warum ist Schweitzer lieber Arzt als Geistlicher?
10. Warum hatte sich Schweitzer Afrika als Arbeitsfeld ge-
    wählt?
11. Warum machten ihm die Missionsgesellschaften Schwie-
    rigkeiten?
12. Woher kam das Geld für das Krankenhaus in Lambaréné?
13. Wie kann der Mensch nach Schweitzers Philosophie dem
    Leben einen Sinn geben?

[66] das **Vorbild** model

14. Was hält Schweitzer für das wahre Ziel des christlich denkenden Menschen?

B. Vocabulary Review

1. die Kunst
2. das Ziel
3. das Elend
4. die Schuld
5. die Zeile
6. das Opfer
7. der Zweck
8. der Ort
9. die Hauptstadt
10. die Schwierigkeit
11. der Aufsatz
12. die Ausgabe
13. die Nachricht
14. der Zustand
15. die Absicht
16. die Ankunft
17. die Leistung
18. der Gegner
19. die Gelegenheit
20. das Gewissen
21. die Geduld
22. die Gegenwart
23. die Enttäuschung
24. der Verwandte
25. der Kenner
26. das Ergebnis
27. der Beruf
28. betonen
29. begleiten
30. benutzen
31. besiegen
32. betrachten
33. behaupten
34. verlassen
35. versichern
36. vermeiden
37. gelangen
38. gelingen
39. entwickeln
40. sich entschließen
41. überzeugen
42. überreden
43. fortsetzen
44. einsehen
45. schaden
46. wählen
47. leiden
48. beispielhaft
49. sorgfältig
50. gründlich
51. geduldig
52. einzig
53. ehrlich
54. geschickt
55. etwas
56. etwa
57. hauptsächlich
58. besonders
59. zunächst
60. jedenfalls
61. halten für
62. in Bezug auf
63. zur Verfügung stehen
64. nicht einmal
65. von morgens bis abends

C. Practice Sentences

1. Hier sollten wir bald sehen, daß wir auf diesem Wege nie zu unserem Ziel gelangen würden.
2. Anstatt zu Hause zu sitzen und auf Nachrichten zu warten, sollten Sie ihn zu überreden versuchen zurückzukommen.
3. In einer vor dem Ende des neunzehnten Jahrhunderts geschriebenen Philosophiegeschichte findet sich der folgende für Kenner Kants hoch interessante Gedanke.
4. Vieles gilt heute als soziale Ungerechtigkeit, was im neunzehnten Jahrhundert weder Kirche noch Staat als solche betrachteten.
5. Wenn wir auch sofort nach einem Arzt schickten, so ist es doch unwahrscheinlich, daß er bei der großen Entfernung vor morgen hier sein kann.
6. Es gehörten zu den Arbeiten Schweitzers, wie das zu erwarten war, auch medizinische Veröffentlichungen und zwar über Tropenkrankheiten.
7. Ich halte sie für eine kranke aus rein neurotischen Motiven handelnde Frau.
8. Er hatte Prediger werden wollen, aber während des Theologiestudiums entschloß er sich zum Beruf des Arztes.
9. Den deutschen Gelehrten des neunzehnten Jahrhunderts, denen nur kleine Laboratorien zur Verfügung standen, gelang es trotzdem, große wissenschaftliche Entdeckungen zu machen.
10. Es war vorauszusehen, daß er eine beträchtliche Summe Geldes für seine Unternehmungen brauchte.

✤ 5 ✤

MOZART

Don Juan

Der 29. Oktober 1787 war für alle musikliebenden Prager [1] ein Tag freudiger Erwartung. Am Abend dieses Tages sollte die Uraufführung [2] von Mozarts *Don Juan* stattfinden, und die Prager erwarteten viel von diesem
5 Mozart, dessen *Figaro* sie erfreut hatte, wie nie eine Oper zuvor. Von der Opernbühne war die Musik des *Figaro* in die Salons der böhmischen Aristokratie, aber auch in die Bürgerhäuser gedrungen, und auf den Straßen konnte man Jung und Alt Melodien aus dem *Figaro* singen hören.
10 Maestro Mozart war den Pragern aber nicht nur als Komponist und Virtuos bekannt. Seit Wochen wohnte er im Gasthof „Die drei goldenen Löwen" am Kohlmarkt, und ihm gegenüber wohnte der Italiener Lorenzo Da Ponte, der das Libretto zum *Figaro* geschrieben hatte und nun
15 schon seit Wochen am Libretto des *Don Juan* arbeitete. Es war stadtbekannt, wie die beiden, Komponist und Librettist, über die enge Straße weg bald schreiend bald singend zusammen arbeiteten. Da Ponte stand dabei auf seinem Balkon, Mozart lehnte sich aus dem Fenster.
20 Mit Erstaunen sahen auch die Prager den kleinen schlan-

---

[1] der **Prager** *inhabitant of Prague, capital of Bohemia, now Czechoslovakia; pl.* die **Prager** people of Prague; *adj.* **Prager** of Prague
[2] die **Uraufführung** first performance

ken Mozart auf der Straße zwischen zwei baumlangen Italienern gehen, mit denen er laut und lebhaft [3] auf italienisch disputierte. Der eine war natürlich Da Ponte; der andere, ein zweiundsechzigjähriger Mann mit feurigen schwarzen Augen, war kein anderer als der berühmte Giovanni Casanova. Von wem hätten sich Mozart und sein Librettist für ihr Musikdrama besseren Rat über das Liebesleben des Don Giovanni holen [4] können als von dem großen Signore Giovanni Casanova?

Mozart wohnte am Kohlmarkt, er wohnte aber auch in der Bertramka, einem Landhaus in der Nähe Prags, als Gast des Klaviervirtuosen Duschek und seiner Frau, der Sängerin Josefa. Dieses Landhaus gehörte den Duscheks und jedem Komponisten, Sänger, Musiker oder Musikfreund, der der Gast Duscheks war.

Mozart und seine Frau Constanze waren wochenlang fast jeden Tag bei den Duscheks und für [5] den von Geld- und Gesundheitssorgen verfolgten Mozart waren diese Wochen die glücklichste Zeit seines Lebens. Im Freien, auf einer Gartenterrasse, schrieb er die Partitur [6] des Don Juan, saubere, korrekturfreie Manuskriptseiten, die mehr wie eine Abschrift als wie ein Originalmanuskript aussahen. In gewissem Sinne war es auch eine Abschrift, denn die Musik des Don Juan war fertig, d.h. in Mozarts Kopf. Im Reisewagen, auf einsamen Spaziergängen, beim Stundengeben im Hause reicher Aristokraten, wo ihm auch immer [7] die schöpferischen [8] Gedanken kamen, hatte er alles komponiert und brauchte nun die Oper nur „aus dem Sack seines Gedächtnisses" zu ziehen, wie er es genannt hat.

---

[3] **lebhaft** lively; vigorously   [4] **sich Rat holen** to ask for advice
[5] *Read:* **für den Mozart, der von Geld und Gesundheitssorgen verfolgt wurde** for Mozart who was pursued by worries over money and his health; *s.* #10c (*Watch for several more complex attribute constructions in this essay!*)
[6] (**die Partitur** score)   [7] **wo auch immer** wherever
[8] **schöpferisch** creative

So schrieb er auf der Terrasse der Bertramka einen Bogen nach dem anderen voll unsterblicher Musik, die die Welt erobern sollte.

Der Lärm der lustigen Gesellschaft, die die kommende
5 Uraufführung feierte, konnte Mozart nicht stören. Im Gegenteil, da die Niederschrift [9] von dem, was er fertig im Kopf hatte, ihn langweilte, liebte er es, fröhliche Menschen um sich zu haben, wenn er seine Manuskripte verfaßte.

Die Berichte der Zeitgenossen geben uns ein lebhaftes
10 Bild von Mozarts Arbeitsweise. Eine Weile lang schrieb er, tief in Gedanken versunken,[10] an seinem Manuskript. Kamen dann aber Gäste an, so warf er plötzlich die Feder weg, um mit ihnen ein Glas Wein zu trinken, oder zu kegeln,[11] oder den Damen ein paar Komplimente zu
15 machen. Mozart hatte das eine [12] mit seinem Helden Don Juan gemein, nämlich daß weibliche Schönheit großen Eindruck auf ihn machte. Mit einem Mal [13] war Mozart dann wieder verschwunden und suchte man ihn, so fand man ihn an seinem Tisch, eifrig schreibend, als wäre nichts gesche-
20 hen.

Sowie [14] die Seiten des Manuskripts fertig waren, wurden sie zum Abschreiber geschickt, und die Sänger konnten gleich im Hause der Duscheks unter Mozarts Leitung mit den Proben [15] beginnen. Unseren heutigen Begriffen
25 nach [16] waren die Opern damals sehr ungenügend vorbereitet. Für den Don Juan z.B. war nur eine Woche für Proben angesetzt, und diese Proben schlossen nicht einmal die Ouvertüre ein. Anderseits hatte die italienische Truppe, die den Don Juan singen sollte, den großen Vorteil, daß
30 Mozart selbst die Rollen mit ihnen einübte, daß sie also

---

[9] (die **Niederschrift** the writing-down)   [10] tief . . . versunken lost
[11] (kegeln to bowl)   [12] das eine one thing
[13] **Mit einem Mal** Suddenly   [14] Sowie As soon as
[15] (die **Probe** rehearsal)   [16] **Unseren heutigen Begriffen nach;** s. #9

sicher waren, die Oper so zu verstehen, wie Mozart sie
verstanden haben wollte.

Das Orchester war den Berichten der Zeitgenossen nach
den Sängern überlegen,[17] aber die armen Musiker hatten
ihre Not mit Mozarts genial unregelmäßigen Komponier- 5
methoden. Die Musik für die Blasinstrumente und Trom-
meln hatte Mozart gar nicht in die Partitur geschrieben.
Wiederholt wiesen die Spieler darauf hin, daß sie wüßten,
daß Mozart alles im Kopf hätte, daß sie es aber auf dem
Notenblatt haben müßten. Endlich ließ sich Mozart Noten- 10
papier ins Theater bringen und schrieb alles während der
Proben aus dem Gedächtnis für sie nieder.

Seine unregelmäßige Komponiermethode zeigte sich
auch darin, daß er die Ouvertüre bis zuletzt [18] unvollendet
ließ. Vergeblich baten ihn die Duscheks, seine Frau Con- 15
stanze und der Leiter der Operntruppe, Bondini, etwas
weniger [19] zu kegeln und diesen für die Aufführung der
Oper so wichtigen Teil fertigzustellen. Erst in der Nacht
vor der Aufführung setzte sich Mozart hin, um die letzten
Noten der Ouvertüre zu schreiben. Dann wurde sie dem 20
Abschreiber übergeben, der nicht wußte, wie er alles rechtzeitig fertigstellen könne.

Die Oper sollte um sieben Uhr beginnen, aber schon
lange vorher rollten die prächtigen Wagen des böhmischen
Adels durch die engen Straßen der Stadt, und das Opern- 25
haus füllte sich schnell. Festlich gekleidete Damen saßen
in den für die Familien der Aristokratie reservierten Logen
und unterhielten sich mit ihren Begleitern, deren reich
geschmückte Röcke für die gewöhnlichen im Parkett und
im Balkon sitzenden Bürger Prags genau so interessant 30
waren wie die Kleider und Haarfrisuren der adligen Damen.

[17] überlegen superior   [18] bis zuletzt till the last minute
[19] etwas weniger a little less

Sieben Uhr verging, aber die Oper fing nicht an. Mozart, der an diesem Abend dirigieren sollte, fehlte noch immer.[20] Das Publikum wartete mit ungewöhnlicher Geduld, bis endlich, zwanzig Minuten nach sieben, der Grund für die 5 Verzögerung [21] sichtbar wurde. Mozart erschien atemlos unter den Musikern und verteilte die fast noch nassen Notenblätter der Ouvertüre. Dann stellte er sich, von donnerndem Applaus empfangen, mit seinem Dirigentenstab am Klavier auf.

10 Obwohl die Musiker vom Blatt spielen [22] mußten, war das Publikum von der Ouvertüre begeistert. Dabei [23] verstand es nicht einmal die neuen musikalischen Ausdrucksformen. Mozart hatte hier, wie schon in der Oper *Entführung aus dem Serail* [24] die moderne Ouvertüre geschaffen, 15 die als eine Art musikalischer Prolog das kommende Musikdrama einführt. Als die Ouvertüre zu Ende war, dauerte es eine Weile, bis der erste Akt beginnen konnte, denn die Prager applaudierten so lange. So eine Musik hatten sie seit dem *Figaro* nicht gehört.

20 Endlich ging der Vorhang auf: Leporello, Don Juans Diener, geht ungeduldig auf und ab. Er beginnt zu singen: „Notte giorno faticar . . ." (Keine Ruh' bei Tag und Nacht). Das Prager Publikum, wie das europäische Publikum überhaupt,[25] erwartete nichts anderes, als daß Opern 25 auf italienisch gesungen wurden, denn Oper und Italienisch waren damals synonyme Begriffe. Daß hier ein Deutscher auf diesem Gebiet ein Meisterwerk geschaffen hatte, sah auch das Prager Publikum nicht ganz, denn eine deutsche Nationaloper bedeutete ihm nichts.

30 Um so mehr bemühte sich Mozart, eine deutsche Nationaloper zu schaffen, um Deutschland auch auf diesem

---

[20] noch immer still (*emphatic*)   [21] die Verzögerung delay
[22] (vom Blatt spielen to play at sight)   [23] Dabei Yet
[24] Entführung aus dem Serail *Abduction from the Seraglio*
[25] überhaupt in general

Gebiet musikalischer Leistungen in der Welt angesehen zu machen. Trotz alledem konnte er das Vorurteil [26] seiner Zeitgenossen nicht überwinden, die die italienischen Opernkomponisten für unübertreffbare Meister hielten.

Am kaiserlichen Hofe in Wien war der Hofkomponist, [5] der im musikalischen Leben alles zu sagen hatte, nicht Mozart sondern der damals in ganz Europa berühmte Italiener Salieri. Dieser Salieri war Mozarts Feind. Er hatte durch seine Intrigen beinahe [27] die Aufführung von Mozarts Oper *Figaro* verhindert. Als die Oper dann endlich [10] doch aufgeführt wurde, überredete er die Sänger, falsch zu singen. Schließlich schickte Kaiser Joseph von seiner Loge eine Warnung auf die Bühne, die Sänger sollten ihr Bestes tun oder sie würden sofort entlassen. Wie sehr Salieri seinen vom Glück weniger begünstigten Rivalen Mo- [15] zart beneidete und haßte, kann man auch daraus ersehen, [28] daß er es für nötig hielt, auf dem Totenbett zu schwören, er habe Mozart nicht vergiftet [29] und sei also an dessen [30] frühem Tode unschuldig.

Welch ein Unterschied zwischen Wien und Prag! Hier [20] in Prag hatte Mozart begeisterte Zuhörer und Sänger, die sich selber übertrafen, [31] um der Oper ihren wohlverdienten Erfolg zu sichern. Daß aber hier eine der größten Opern vor ihnen auf der Bühne erschien, das wußten selbst [32] die Prager nicht, für die der „Don Juan" eine ausgezeich- [25] nete Oper neben, nicht über, den zeitgenössischen italienischen Opern war. Unsere Zeit urteilt da anders, wie die Welterfolge Mozartscher Opern beweisen, die von allen Werken seiner Zeit den Opernspielplan allein beherrschen.

Aus Berichten seiner Zeit können wir leicht sehen, daß [30] damals auch die Musikkenner keine der wirklichen musi-

---

[26] (das **Vorurteil** prejudice)   [27] **beinahe** almost
[28] **kann man auch daraus ersehen** we can also infer from the fact
[29] (**vergiften** to poison)   [30] **dessen** the latter's
[31] (sich **selber übertreffen** to outdo oneself)   [32] **selbst** even

kalischen Neuerungen Mozarts erkannt hatten. Kein Wort
z.B. von der musikalischen Charakterisierungskunst, mit
der Mozart jede Person des Musikdramas zeichnet, in der
er weit über Gluck [33] hinausgeht, der Ähnliches gewollt
5 hatte. Nur die auffallenden [34] dramatischen Effekte erkann-
ten sie und fanden sogar ihre uns heute naiv erscheinende
Freude an der reinen Handlung, am Libretto.

Seien wir aber nicht ungerecht! [35] Es muß zugegeben [36]
werden, daß die dramatische Wirkung der letzten beiden
10 Szenen heute wie damals stark ist: Don Juan sitzt beim
Gastmahl, von Mädchen umgeben, ohne Sorge, ohne
Furcht, nur für den Genuß [37] lebend. Er hat das Standbild [38] des von ihm erschlagenen alten Grafen eingeladen,
und mit donnernden Tritten erscheint der Marmorkoloß.
15 Vergeblich versucht der gespenstische [39] steinerne Gast
seinen Mörder Don Juan, den Rebellen gegen Menschengesetz und Gottes Gebote, zur Reue [40] zu bewegen. Weder
die Stimme des Himmels noch das Geheul der auf ihn
wartenden Hölle können seinen titanischen Trotz brechen.
20   Als der Vorhang im Prager Nationaltheater fiel, war das
Publikum einen Augenblick lang stumm, die tragische
Musik hatte sie tief erschüttert. Dann aber brach ein Beifall los, wie ihn das Prager Nationaltheater noch nicht gehört hatte. Man hörte Rufe wie: „Viva Maestro" und „Mo-
25 zart auf die Bühne". Mozart trat auf die Bühne und versuchte zu sprechen, aber der Lärm war immer noch zu
groß. Blumen flogen auf ihn zu, die Sänger umarmten ihn.
Er war sprachlos. So eine begeisterte Aufnahme hatte nicht
einmal sein *Figaro* gefunden. In den letzten Jahren war
30 überhaupt der Beifall oft ziemlich schwach gewesen.

Früher, als der Vater mit dem vierzehnjährigen Wol-

---

[33] **Gluck** *18th century German composer*   [34] **auffallend** striking
[35] **Seien wir nicht ungerecht!** *s.* #6b   [36] **zugeben** to admit
[37] **der Genuß** enjoyment   [38] (**das Standbild** statue)
[39] (**gespenstisch** ghostly)   [40] **die Reue** repentance

ferl [41] nach Italien reiste, war es freilich [42] anders gewesen. Die Italienreise war ein Triumph geworden. Alle staunten über das junge, ausländische Genie, das mit vierzehn Jahren Opern im italienischen Stile schrieb. Und noch früher, als der Vater mit ihm und der Schwester durch 5 Europa reiste! Ein sechsjähriger Junge war er damals gewesen, der auf dem Klavier phantasierte [43] wie ein erwachsener Virtuos. Maria Theresia, die Kaiserin von Österreich, hatte ihn geküßt und ihn mit den kleinen Prinzessinnen spielen lassen, von denen er Marie Antoinette 10 am liebsten mochte. [44] Sie war jetzt Königin von Frankreich, und der kleine Mozart hatte damals ihrer Mutter gesagt, daß er sie heiraten werde. Versailles—London. Wie sich die Aristokraten um das Vergnügen stritten, das Wunderkind in ihren eigenen Salons Klavier spielen zu lassen! 15

Warum ist es für ein reifes Genie so viel schwerer, anerkannt zu werden, als für ein Wunderkind? Wollte das Publikum nur Sensationelles? Aber nein, das war zu pessimistisch. Er hatte es ja [45] beim Dirigieren gefühlt, was für einen tiefen Eindruck seine Musik auf das Prager Pu- 20 blikum gemacht hatte.

Als der Beifallssturm etwas schwächer wurde, sagte Mozart, während ihm die Tränen über die Wangen liefen: „Meine Prager Freunde verstehen mich."

Die Prager hatten ihn verstanden. Bondini aber, der 25 geschäftliche Leiter der Oper, zahlte Mozart trotz dieses großen Erfolges nur die für eine größere Oper übliche Summe—450 Gulden. [46] Wie wenig das ist, wird uns klar, wenn wir bedenken, daß Mozart mit diesen 450 Gulden nur die Jahresmiete für seine Wohnung bezahlen konnte. 30 Die Ausbeutung [47] der damaligen Künstler durch Verleger

---

[41] **Wolferl** *pet name for* Wolfgang   [42] **freilich** to be sure
[43] (**phantasieren** to improvise)   [44] **am liebsten mochte** liked best
[45] **ja** to be sure   [46] **Gulden** guilder, *monetary unit at Mozart's time*
[47] die **Ausbeutung** exploitation

und Theaterdirektoren ist einem modernen Menschen, der im Zeitalter der Copyright-Gesetze lebt, fast unverständlich. Bondini war nicht zufrieden mit dem großen Gewinn, den er an Mozarts Oper gemacht hatte. Er wollte die günstige Lage ausnutzen, und dazu brauchte er eine neue Oper von einem anderen großen Künstler. So wandte er sich an Haydn.[48] Dieser aber antwortete, daß er mit Mozart weder wetteifern [49] könne noch wolle und beklagte sich in bitteren Worten darüber, daß weder die Österreicher noch die Deutschen wüßten, was Mozart für die Kunst und Kultur dieser Länder bedeute. Es sei eine Schande, daß Mozart noch an keinem kaiserlichen oder königlichen Hofe eine feste Stellung gefunden habe.

Hatte man auch [50] den *Don Juan* in Prag verstanden, so war dies in Wien keineswegs der Fall. Erst verzögerten [51] Mozarts Feinde die Aufführung ein halbes Jahr lang, dann, als sie am 7. Mai 1788 schließlich in Wien stattfand, mißfiel [52] sie. Kaiser Josef sagte über den Mißerfolg des *Don Juan* in Wien: „Die Oper ist göttlich, vielleicht noch schöner als *Figaro*, doch das ist keine Speise für die Zähne meiner Wiener." Als Mozart dies hörte, soll er gesagt haben: „Lassen wir ihnen Zeit zu kauen!" [53]

Don Juan war Mozarts zwanzigste Oper, und die Welt musikalischer Meisterwerke, die dieser kleine schwächliche Mann bis jetzt geschaffen hatte, sollte trotz aller Armut und Sorgen um die eigene Gesundheit und die Gesundheit seiner Frau noch um manches Stück bereichert werden, wie um die *Zauberflöte* [54] und das *Requiem*, von dem sein Freund Haydn sagte: „Wenn Mozart auch nichts anders geschrieben hätte als seine Violinquartette und sein Requiem, würde er allein dadurch schon unsterblich ge-

---

[48] Haydn *18th century Austrian composer*   [49] wetteifern to compete
[50] Hatte man auch den *Don Juan* . . . verstanden; s. #8c
[51] (verzögern to delay)   [52] mißfallen to be disliked
[53] "Let's give them time to chew it!"   [54] Zauberflöte *Magic Flute*

worden sein." Das berühmte Requiem hatte Mozart für sich selber geschrieben, denn er wußte, daß seine Tage gezählt waren.

Er wußte das schon seit langem. Das Erstaunliche am Charakter dieses Genies ist, daß er den Helden der unge- 5 bändigten,[55] ungeheuren Lebenskraft, Don Juan, verherrlichen konnte, als er selber von Todesahnungen [56] erfüllt war. Als Mozart den *Don Juan* schrieb, wußte er, daß er jung sterben werde. Und seine Ahnungen waren richtig. 1791 starb er erst 35 Jahre alt, von Arbeit und Sorgen 10 entkräftet. Er hinterließ so viele Schulden, daß nicht einmal das Geld zu einem bescheidenen Begräbnis da war,[57] und er infolgedessen in einem Massengrab für Arme begraben werden mußte.

Wer mit Mozarts Lebensgeschichte bekannt ist, muß 15 Mitleid mit der dauernden Not eines Mannes fühlen, der die abendländische Kultur in unermüdlicher Schöpferkraft mit Opern und Symphonien, Sonaten und Kantaten beschenkt hat. Er muß sich über die Stumpfheit [58] der großen und kleinen Zeitgenossen entrüsten,[59] die, um wieder mit 20 Haydn zu sprechen, wenig taten, um „ein solches Kleinod [60] in ihren Ringmauern zu besitzen." Man tut damit aber den Zeitgenossen Unrecht. Von den Zeitgenossen eines großen Mannes verlangen, daß sie ihn mit den Augen der Nachwelt sehen, heißt in unserem Falle vom durch- 25 schnittlichen Opern- und Konzertbesucher das musikalische Verständnis eines Haydn erwarten.

Man sollte auch nicht vergessen, daß sich das Leben eines großen Künstlers nicht von seinem Werk trennen läßt. Mag es auch paradox klingen—Mozarts Schulden, 30 seine Krankheiten, der Neid der anderen Komponisten, die

---

[55] (**ungebändigt** untamed)
[56] (die **Todesahnung** presentiment of death)
[57] **da war** was available   [58] (die **Stumpfheit** dullness)
[59] (sich **entrüsten** be indignant)   [60] (das **Kleinod** gem)

Stumpfheit der Zeitgenossen, in einem Wort die ganze Tragik seines Lebens hat an seiner Musik und besonders am *Don Juan* Anteil gehabt.

In der Musik des *Don Juan* spricht die ewig unbefrie-
5 digte aber nie entmutigte Seele Mozarts zu uns; sie spricht von ihren Schmerzen und ihrer Einsamkeit, aber auch von ihren Triumphen und ihrer Lebensfreude. Der leise Unterton des Schmerzes gibt dem Werk seine eigenartige Schönheit, die heute noch das Opernpublikum der Welt-
10 städte begeistert, wie es einst das Rokokopublikum Prags begeistert hat.

EXERCISES

A. Questions

1. Wie zeigte sich die Popularität der Mozartschen Oper *Figaro?*
2. Welche Rolle spielte die Villa Bertramka in Mozarts Leben?
3. Warum fanden sich in Mozarts Don Juan Manuskripten fast keine Korrekturen?
4. Welche für einen Komponisten nicht sehr inspirierende Arbeit mußte Mozart auf sich nehmen?
5. Warum war es ein Vorteil für die Sänger, daß Mozart selber die Proben leitete?
6. Warum können wir die Komponiermethode Mozarts „unregelmässig" nennen?
7. Was gab es in den Logen Interessantes zu sehen?
8. Warum kam Mozart zu spät zur Erstaufführung?
9. Wie zeigte der Italiener Salieri Mozart seine Feindschaft?
10. Warum kann man sagen, daß unsere Zeit Mozarts Opern über die seiner italienischen Zeitgenossen stellt?
11. Wer waren die Zuhörer des sechsjährigen Virtuosen Mozart?
12. Welchen Vorwurf macht Haydn den Zeitgenossen Mozarts?
13. Warum darf man die Zeitgenossen Mozarts nicht zu schwer dafür tadeln, daß sie das große schöpferische Genie in ihrer Mitte nicht verstanden?

B. Vocabulary Review

1. die Erwartung - *expectation*
2. das Geheimnis - *secret*
3. der Lärm - *noise*
4. der Bericht - *report*
5. die Probe - *rehearsal*
6. der Vorteil - *advantage*
7. der Unterschied - *difference*
8. der Zweck
9. die Schöpfung
10. der Beifall - *applause*
11. das Vergnügen
12. die Ausbeutung
13. das Zeitalter - *generation*
14. die Schande
15. die Stellung
16. das Mitleid
17. die Geduld - *patience*
18. ungeduldig - *impatient*
19. der Zeitgenosse - *contemporary*
20. zeitgenössisch - *contemporary*
21. klingen
22. zählen
23. zahlen
24. bezahlen - *to pay*
25. genießen - *enjoy*
26. der Genuß - *enjoyment*
27. beherrschen - *dominate*
28. sich beklagen - *complain*
29. sich bemühen - *to strive*
30. beobachten - *observe*
31. besitzen - *possess*
32. geschehen - *happen*
33. erobern - *conquer*
34. retten
35. schaffen
36. fehlen
37. feiern - *celebrate, praise*
38. stattfinden - *to take place*

39. urteilen - *judge*
40. zugeben
41. einführen - *introduce*
42. überlegen - *superior*
43. überreden - *persuade*
44. langweilen
45. schlank
46. sauber - *clean*
47. eng - *narrow - close*
48. lebhaft - *vivid*
49. ungenügend - *insufficient*
50. atemlos - *breathless*
51. begeistert - *inspired*
52. auffallend
53. ausländisch
54. üblich - *usual*
55. günstig
56. bescheiden - *modest*
57. unermüdlich - *untiring*
58. vergeblich
59. wirklich
60. ziemlich
61. schließlich
62. plötzlich - *suddenly*
63. außerhalb
64. beinahe - *almost*
65. anderseits - *on the other hand*
66. gleich - *at once*
67. also
68. damals - *at that time*
69. deshalb
70. sogar
71. keineswegs - *by no means*
72. infolgedessen
73. noch nie
74. im Gegenteil - *to the contrary*
75. mit einem Male - *suddenly*
76. nicht einmal - *not even*

77. um so mehr
78. im allgemeinen *in*
     general
79. weder . . . noch
80. wochenlang *for weeks*

C. Practice Sentences

1. Kaiser Josef hätte Mozart helfen können; er tat es aber nicht.
2. War die Oper *Don Juan* in Prag auch mit großem Erfolg aufgeführt worden, so bedeutete das keineswegs, daß sie den Wienern gefallen mußte.
3. Auf der modernen Opernbühne müssen Opern wochenlang eingeübt werden, selbst wenn der Komponist selber die Proben leitet.
4. Nicht einmal die Prager verstanden das Neue an Mozarts Oper; um so mehr muß man den Mut dieses Mannes bewundern, der trotzdem die Welt noch mit manchem Meisterwerk bereichern sollte.
5. Das Briefeschreiben war eine Kunst im achtzehnten Jahrhundert.
6. In Deutschland werden viele Opern und Theaterstücke im Freien aufgeführt.
7. Den Berichten der Zeitgenossen nach entwickelte sich in den Jahrzehnten nach Mozarts Tode ein wahrer Mozart-Kult.
8. Es muß immer wieder darauf hingewiesen werden, daß das Publikum damals diese Oper anders verstand als wir.
9. Kaiser Joseph ließ den Sängern sagen, sie sollten richtig singen, wollten sie nicht sofort entlassen werden.
10. Der kleine Mozart war damals eine an allen Höfen Europas willkommene musikalische Sensation.

✦ 6 ✦

RÖNTGEN

Der Entdecker „einer neuen Art von Strahlen"

Im Gaslicht seines Laboratoriums untersuchte Professor Röntgen noch einmal sorgfältig den schwarzen Pappmantel [1] der elektrischen Glasröhre, die vor ihm auf dem langen Laboratoriumstisch stand. Dann schrieb er in sein Tagebuch: Freitag, 8. November 1895—Wiederholung der Experimente von Hertz und Lenard. Die Lichtundurchlässigkeit des Röhrenmantels [2] wird geprüft.—Er trat ans Fenster. In der tiefen Finsternis konnte er nicht einmal die Bäume sehen, die im Garten des Physikalischen Instituts wuchsen; irgendwo in der Ferne sangen Würzburger [3] Studenten auf dem Nachhauseweg durch die nächtlichen Straßen der Stadt. Professor Röntgen zog die schweren Vorhänge zu, schaltete den Strom ein und drehte das Gas aus. Die elektrischen Entladungen [4] knatterten, und die evakuierte Röhre glühte, aber kein einziges Lichtpünktchen war in der Dunkelheit des Laboratoriums sichtbar. Der schwarze Pappmantel sollte kein Licht durchlassen, und Professor Röntgen, der sein eigener Laboratoriumstechni-

[1] (der **Pappmantel** cardboard casing)
[2] (der **Röhrenmantel** tube-casing)
[3] **Würzburger** of the University of Würzburg
[4] (die **Entladung** discharge)

ker war, hatte seine Versuchsapparatur wie immer mit der größten Sorgfalt hergestellt.[5]

Er trat von dem Tisch zurück, um das Gas wieder anzudrehen, als er in einiger Entfernung von der Glasröhre 5 einen flackernden Lichtschimmer sah. Lange stand Professor Röntgen still und beobachtete die seltsame Erscheinung. Er erkannte, daß das Licht von einem lichtempfindlichen Papierschirm [6] kam, den er für eine spätere Phase des Versuchs brauchte und vorläufig auf einen Tisch in 10 der Nähe der Wand gestellt hatte. Auch darüber, daß die Ursache der Fluoreszenz in dem elektrischen Apparat zu suchen war, konnte kein Zweifel bestehen, denn der fluoreszierende Schirm leuchtete im Rhythmus der Entladungen auf. Stunden vergingen, jeder Teil des elektrischen 15 Apparates wurde aufs genauste [7] untersucht. Schließlich wurde es ihm klar: Die Vakuumröhre war die einzig mögliche Quelle der Fluoreszenz. Einen Schritt vor seiner großen Entdeckung zauderte [8] der Entdecker. Der Schluß, den er aus den Tatsachen ziehen mußte, glich einer 20 Wahnidee,[9] aber als exakter Wissenschaftler glaubte er den Tatsachen und nicht seinen Theorien über die Natur und ihre Grenzen. Er hielt ein Buch zwischen die Röhre und den Schirm. Die Fluoreszenz bestand weiter, nur um weniges verdunkelt. Nun gab es keinen Zweifel mehr: In 25 der Röhre war eine neue bis jetzt unbekannte Art von Strahlen entstanden, die durch die Papphülle dringen konnten und die Fluoreszenz des Schirmes verursachten.

Nun galt es [10] festzustellen, ob diese Strahlen alle lichtundurchlässigen Körper durchdringen konnten. Professor 30 Röntgen, Leiter des Physikalischen Instituts der Universität Würzburg, einer der größten Präzisionsphysiker seines

---

[5] her-stellen to prepare   [6] (der **Papierschirm** paper screen)
[7] **aufs genauste** most carefully   [8] **zaudern** to hesitate
[9] (**glich einer Wahnidee** was like a wild fancy)
[10] **galt es** it was a question of

Jahrhunderts, schauderte, als er auf dem Schirm das Schattenbild seines Handskeletts im helleren Schatten des durchleuchteten Fleisches sah. Er schauderte in dem Gefühl, eine Grenze der Menschheit durchbrochen zu haben und er schauderte vor Glück, dem hohem Glück, [5] das nur dem Entdecker beschieden ist.[11] Röntgen hat uns gesagt, was er in dieser Nacht fühlte. Er fand den Ausdruck für dieses Gefühl in den Memoiren des großen Ingenieurs Werner von Siemens: „Das geistige Leben schenkt uns manchmal vielleicht die reinste und größte [10] Freude, deren der Mensch fähig ist. Wenn irgendeine Erscheinung, die lange verborgen [12] war, plötzlich in das Licht der Erkenntnis tritt, wenn das fehlende Glied [13] einer Gedankenkette glücklich gefunden ist, so gibt das dem Entdecker das erhebende Gefühl, das einen geistigen Sieg [15] begleitet und das alleine für alle vorhergehenden Kämpfe und Mühen schadlos halten [14] kann und ihn auf eine höhere Ebene [15] der Existenz hebt."

Auf dieser höheren Ebene der Existenz lebte Röntgen während der Wochen, die nun folgten. Er aß und schlief [20] in seinem Laboratorium, um ununterbrochen das Wesen der von ihm entdeckten Strahlen erforschen zu können. Der Außenwelt verriet [16] er nichts von seiner großen Entdeckung. Seiner Frau und seinem besten Freunde, dem Zoologen Bovari, sagte er nur, er habe etwas „Interes- [25] santes" entdeckt, wisse aber noch nicht, ob seine Beobachtungen richtig seien. Seine beiden Assistenten durften den Neugierigen nur sagen, daß ihr Professor Experimente mit Kathodenstrahlen aus Vakuumröhren mache. Das war nichts Besonderes, denn mit Kathodenstrahlen beschäftig- [30] ten sich viele Physiker gegen Ende des 19. Jahrhunderts.

---

[11] (beschieden ist is allotted to)   [12] verborgen *p.p.* concealed
[13] das Glied link   [14] (schadlos halten to compensate)
[15] die Ebene plain   [16] verraten to disclose

Erst sieben Wochen nach seiner Entdeckung trat Röntgen mit einem Bericht an die Öffentlichkeit.[17] Am 28. Dezember 1895 händigte er dem Präsidenten der Physikalisch-Medizinischen Gesellschaft von Würzburg sein 5 Manuskript ein, das den bescheidenen Titel hatte: „Über eine neue Art von Strahlen". Da sich das Wesen dieser Strahlen mit den Mitteln der damaligen Wissenschaft nicht feststellen ließ, schlug Röntgen in seiner Veröffentlichung vor,[18] sie X-Strahlen, also unbekannte Strahlen, zu 10 nennen. Diese Bezeichnung hat sich in vielen nichtdeutschen Ländern z.B. in Amerika durchgesetzt. In Deutschland heißen die Strahlen Röntgenstrahlen nach der Sitte der Naturwissenschaftler, der vergeßlichen Menschheit die Namen ihrer Wohltäter dadurch ins Gedächtnis zu-15 rückzurufen,[19] daß Entdeckungen nach dem Entdecker benannt werden.

Röntgen wies schon in dieser ersten Veröffentlichung über die neuen Strahlen darauf hin, daß sich damit photographische Aufnahmen machen ließen, und er selbst hatte 20 schon höchst bedeutsame „Röntgenaufnahmen" gemacht. An erster Stelle ist da die Aufnahme eines Handskeletts zu nennen, die er am 22. Dezember 1895 mit Hilfe einer lebenden Hand, der seiner Frau, machte und an einen befreundeten [20] Wiener Arzt schickte. Damit waren der medizi-25 nischen Wissenschaft die Wege gewiesen, und es dauerte nicht lange, bis diese von dieser neuen Entdeckung Gebrauch machte. Schon im nächsten Jahre kaufte die englische Regierung mehrere Röntgenapparate, die den Militärärzten für die Nilexpedition desselben Jahres mitgege-30 ben wurden. Sie dienten zur Diagnose von Knochenbrüchen, hauptsächlich aber zum Auffinden von Geschoßtei-

[17] trat . . . an die Öffentlichkeit appeared before the public
[18] vor-schlagen to propose to
[19] ins Gedächtnis zurückzurufen to remind (a person of a thing)
[20] befreundet with whom he was on friendly terms

len im Körper der Soldaten, und machten das schmerzhafte Sondieren [21] der Wunden unnötig.

Zu den ersten Aufnahmen Röntgens gehört auch die eines Metallstücks, dessen Strukturfehler im Röntgenbild deutlich zu sehen sind. Von großer Wichtigkeit war auch [5] Röntgens Aufnahme seines geladenen Jagdgewehres.[22] Die Lage des Geschosses im Lauf,[23] sowie kleine Beschädigungen im Laufe des Gewehres, erschienen deutlich auf dieser frühen Photographie.

Selbstverständlich sahen die Ingenieure und Direktoren [10] der großen Industriebetriebe sofort, von welchem Nutzen diese neue Erfindung für die Industrie sein würde. Es fehlte natürlich nicht [24] an Versuchen, Röntgen zum Verkauf seiner wichtigen Erfindung zu überreden. Die amerikanische Industrie machte ihm fabelhafte Angebote. Rönt- [15] gen wollte aber von der wirtschaftlichen Ausbeutung seiner Erfindung nichts wissen.[25] Er gab der Welt seine Erfindung, ohne wirtschaftlichen Nutzen daraus zu ziehen.[26] Ein glänzendes Angebot der A.E.G. (Allgemeinen Elektrizitätsgesellschaft), die alle zukünftigen Entdeckun- [20] gen und Erfindungen des Würzburger Professors aufkaufen wollte, lehnte der große Mann mit der Erklärung ab,[27] es sei die Tradition der deutschen Universitätsprofessoren, daß ihre Erfindungen und Entdeckungen der Menschheit und nicht einer einzelnen Gruppe gehörten. [25]

Um die Jahrhundertwende schrieb H. Münsterberg in einem Aufsatz „The X-Rays", der in der amerikanischen Zeitschrift „Science" erschien: „Es ist weltbekannt, daß die physikalischen Laboratorien Deutschlands keine Fenster haben, die nach dem Patentamt gehen." [28] Röntgen [30]

---

[21] (das **Sondieren** probing)　　　[22] das **Jagdgewehr** hunting gun
[23] (der **Lauf** barrel)　　　[24] **Es fehlte nicht an** There was no lack of
[25] **wollte . . . nichts wissen von** did not wish to have anything to do with
[26] **ziehen** *here* to derive　　　[27] **ab-lehnen** to decline
[28] **gehen** *here* to open

hat es oft genug gesagt, daß die Freude des Entdeckers, das Bewußtsein,[29] die Menschheit etwas weitergebracht zu haben, der schönste Lohn für seine Mühe sei. Als die preußische Akademie der Wissenschaft den fünfundsieb-
5 zigjährigen Gelehrten in einer Ansprache[30] ehrte, freute er sich besonders über den Hinweis [31] des Redners, daß er durch seine Erfindung und durch das selbstlose Geschenk, das er der Menschheit gemacht hatte, im Weltkrieg so vielen verwundeten Soldaten auf deutscher und
10 alliierter Seite das Leben gerettet habe.

Röntgen, der Wissenschaftler, schätzte übrigens unter seinen Arbeiten nicht die Entdeckung der Strahlen, sondern des nach ihm benannten Röntgenstromes am höchsten ein,[32] womit er eine der Grundlagen der modernen
15 Elektrodynamik geschaffen hatte. Auch in dieser Einschätzung zeigt sich der reine Wissenschaftler, dem die Strahlen nur als physikalisches Problem wichtig waren, und der ihre technische Weiterentwicklung anderen überließ.

20 Unter Röntgens 58 wissenschaftlichen Veröffentlichungen sind nur drei den von ihm entdeckten Strahlen gewidmet.[33] In diesen drei Veröffentlichungen hat Röntgen aber so gründliche Arbeit geleistet, daß auf zwei Jahrzehnte hinaus [34] kein Physiker etwas wesentlich Neues
25 dem von Röntgen Gesagten hinzufügen konnte. Erst kurz vor dem zweiten Weltkrieg gingen Barkla in England und Laue, Friedrich und Knipping in Deutschland über die Arbeit Röntgens hinaus.[35] Die grundlegenden neuen Erkenntnisse dieser Forscher erklärten die Natur der Rönt-

---

[29] das **Bewusstsein** knowledge   [30] die **Ansprache** address
[31] (der **Hinweis** reference)   [32] (**ein-schätzen** to rate)
[33] **widmen** to devote
[34] **auf zwei Jahrzehnte hinaus** for more than two decades
[35] **hinaus-gehen über** to go beyond

genstrahlen. Sie bewiesen, daß diese sehr kurzwelliges Licht sind, ein Licht, dessen Wellenlänge etwa zehntausendmal kleiner als die des sichtbaren Lichtes ist.

Aus dem bisher Gesagten geht schon hervor,[36] daß Röntgens Entdeckung in der Welt der Naturwissenschaft und 5 Technik begeisterte Aufnahme fand. Ganz ohne Enttäuschungen war aber auch dieser Triumph nicht. Auch Röntgen mußte etwas von dem Neid und der Bosheit spüren, mit der die Mittelmäßigkeit sich schon immer an den großen Männern gerächt hat. Immer wieder erschienen in 10 den Zeitungen Berichte, ein Laboratoriumsassistent habe die Fluoreszenz des Schirmes bemerkt und den Herrn Professor darauf aufmerksam gemacht. Der eigentliche Entdecker sei also dieser Mann. Manche wußten sogar den Namen des Assistenten, Weber. Daß dieser Weber erst 15 fünf Jahre nach der Entdeckung in Röntgens Laboratorium angestellt[37] wurde, störte das Fortbestehen dieses dummen Märchens nicht im geringsten.

Andere behaupteten, die Entdeckung sei ein reiner Zufall gewesen und hätte von jedem gemacht werden können, 20 der mit Vakuumröhren experimentierte. Es waren allerdings schon viele Jahre vor der Entdeckung Störungen beobachtet worden, die auf die später entdeckten Strahlen zurückzuführen sind, aber kein Forscher hat diese Störungen untersucht. Was den Zufall anbetrifft,[38] so muß 25 man betonen, daß der nur die e i n e Seite der Entdeckung ist. Millionen Menschen waren zufälligerweise anwesend, als Äpfel von Bäumen fielen, aber nur Newton sah das Gesetz der Schwerkraft wirken, als er zufällig einen Apfel vom Baume fallen sah. 30

Auch unter den Gelehrten gab es namentlich[39] in Eng-

---

[36] geht . . . hervor follows   [37] an-stellen to employ
[38] Was . . . anbetrifft As for   [39] namentlich especially

land einige, die Röntgens Prioritätsanspruch nicht gelten
ließen.[40] So sollte z.B. Sir William Crookes, der Erfinder
der nach ihm benannten Vakuumröhre, der eigentliche
Entdecker sein. Crookes hatte schon 1879 bemerkt, daß
5 photographische Platten, die bei Experimenten in der Nähe
seiner Kathodenröhren lagen, neblige Flecken aufwiesen.
Crookes erkannte den Zusammenhang aber nicht, sondern
beschwerte sich bei den Fabrikanten [41] der Platten.

Als die Royal Society den beiden Deutschen Lenard und
10 Röntgen die Rumford Medaille verlieh,[42] erschien Lenards
Name an erster Stelle. Eine Zeitlang sprach man in England auch von den „New Lenard Rays". Gewiß waren
Lenards Versuche mit Kathodenstrahlen die Voraussetzung [43] für Röntgens Entdeckung, aber Lenard ist
15 Röntgens Vorgänger wie Hertz und von Helmholtz Lenards Vorgänger gewesen waren, und so könnte man bis
zu Ohm, Volta und Galvani, den Vätern der Elektrizitäts-
lehre zurückgehen. Auch daß Lenard und viele andere die
Röntgenstrahlen für eine Art Kathodenstrahlen hielten,
20 half Lenard zu dieser unverdienten Bevorzugung.[44] Dabei [45] hatte Röntgen schon 1896 klar bewiesen, daß seine
X-Strahlen von den Kathodenstrahlen grundverschieden
waren.

Die gelegentlichen Angriffe der Presse oder das Mißver-
25 ständnis gelehrter Zeitgenossen kränkte Röntgen tief. „Die
Leute tun ja, als ob ich mich wegen der Entdeckung der
Strahlen zu entschuldigen hätte," rief er einmal beim
Lesen eines Zeitungsartikels, der einen sinnlosen Angriff
auf seinen Entdeckerruhm gemacht hatte.

30 Daß für das allgemeine Publikum die Entdeckung der
Strahlen eine Sensation war, versteht sich,[46] wie auch, daß

---

[40] nicht gelten ließen did not admit
[41] (der Fabrikant manufacturer)   [42] (verleihen bestow)
[43] die Voraussetzung premise   [44] die Bevorzugung favoritism
[45] Dabei Besides   [46] versteht sich stands to reason

die Zeitungen das Erstaunliche der Entdeckung gewaltig übertrieben. Solche übertriebenen Berichte verursachten zum Teil recht komische Reaktionen. Die Photographen z.B. dachten ernsthaft über die Frage nach, ob sich ihre Kunden in der Zukunft „mit" oder „ohne" würden photo- 5 graphieren lassen, d.h. mit oder ohne Knochen. Ein besorgter Staatsmann in New Jersey wollte ein Gesetz einführen, das den Gebrauch von Röntgenstrahlen in Operngläsern verbieten sollte. Eine ähnliche Furcht des Publikums vor dem Durchschautwerden [47] kommt in der Re- 10 klame zum Ausdruck, die eine Londoner Firma für ihre Unterkleidung machte, die „X-ray-proof" sein sollte.

Weniger phantastisch aber doch überraschend waren andere Publikumsreaktionen. Königin Amelia von Portugal z.B. ließ Röntgenaufnahmen von mehreren ihrer Hof- 15 damen machen, um ihnen die schädliche Wirkung des Schnürens [48] auf den Knochenbau und die inneren Organe zu zeigen. Fräulein Francis E. Willard, Führerin der Abstinenzlerbewegung in den Vereinigten Staaten, erhoffte ähnliche medizinisch reformatorische Wirkungen von 20 Röntgenbildern, die Trinkern und Rauchern den schädlichen Einfluß des Alkohols und Tabaks auf Leber und Lunge klar vor Augen führen [49] würden.

Wie immer bei großen Entdeckungen, die die Grenzen der Menschheit erweitern, so fehlte es auch hier nicht an 25 religiösen Protesten, die von verbotenen Blicken hinter den Vorhang sprachen, den der sterbliche Mensch nicht heben dürfe. Moralisten sprachen von der Schamlosigkeit, die dazu gehöre,[50] anderer Leute Knochen im lebenden Körper anzuschauen. Nur entfernt verwandt mit diesen 30 fanatischen Übertreibungen ist der Schauer, den auch

[47] (vor dem Durchschautwerden of being looked through)
[48] (das Schnüren lacing)
[49] vor Augen führen make (a person) see
[50] die dazu gehöre which was required

heute noch jeder sensitive Mensch beim Anblick eigener oder fremder Skeletteile im Fluoroskop empfindet. Eine eindrucksvolle Schilderung [51] solcher Empfindungen enthält die Szene in Thomas Manns *Der Zauberberg*, in der
5 der Held Hans Castorp zum ersten Male die Wunder des Röntgenapparates am eigenen Leibe und an dem seines Freundes und Vetters Joachim Ziemssen erfährt.

Bei jeder großen Leistung des menschlichen Geistes fragt man sich: Wie entsteht menschliche Größe? Ist es eine
10 Naturanlage,[52] sind es Kräfte, die in den Eltern vorhanden waren und durch eine besonders günstige Kombination gesteigert wurden? War die Umgebung des heranwachsenden Kindes besonders günstig? War die historische Stunde für diese spezielle Entdeckung gekommen, d.h. bot
15 das Jahrhundert diesem speziellen Talent besondere Entfaltungsmöglichkeiten? Das sind die alten Fragen, die sich jeder stellt, der über die Lebensgeschichte eines großen Menschen nachdenkt, und die—in unserem Zeitalter wenigstens—keiner beantworten kann. Alles, was sich von
20 Röntgen sagen läßt, läßt sich prinzipiell auch von vielen seiner Zeitgenossen sagen, deren mittelmäßige Leistungen sie nie aus der Anonymität ins Licht geschichtlicher Betrachtung hoben.

Röntgen ist ein Sohn des guten alten deutschen Bürger-
25 tums,[53] dieser arbeitsamen tüchtigen Klasse, aus der die jahrhundertelang die Träger der deutschen Kultur kamen.

> Wo kam die schönste Bildung her
> Und wenn sie nicht vom Bürger wär'?

sagte Goethe, selber der Sohn einer alten deutschen Bür-
30 gerfamilie. Röntgens Vater war Kaufmann und Tuchfa-

[51] die **Schilderung** description
[52] (die **Naturanlage** natural disposition)
[53] das **Bürgertum** middle classes

brikant [54] in Lennep im Rheinland, wo seine Vorfahren [55]
als Kaufleute und Handwerker ihre kinderreichen Familien
ernährt hatten. Auch Röntgens Mutter stammte aus einer
alten Lenneper Familie von Kaufleuten. Die Großmutter
Röntgens mütterlicherseits lebte in Holland und war [5]
italienischer Abstammung. Als Röntgen drei Jahre alt war,
zog die Familie zu holländischen Verwandten nach Apel-
doorn. Da man von dem jungen Röntgen erwartete, daß
er das Geschäft seines Vaters übernehmen werde, besuchte
er eine Privatschule und nicht das Gymnasium, wo haupt- [10]
sächlich klassische Sprachen gelehrt wurden. Bald zeigte
es sich, daß der Schüler Röntgen ein ausgesprochen tech-
nisches Talent besaß, und es wurde beschlossen, er solle
Ingenieur werden. Da ereignete sich [56] eine der im neunzehnten Jahrhundert nicht seltenen Schultragödien. Ein [15]
Mitschüler zeichnete die Karikatur eines Lehrers; der
Lehrer entdeckte das „Verbrechen" aber nicht den „Verbrecher", und verlangte von Röntgen den Namen des
Schuldigen. Röntgen weigerte sich,[57] seinen Freund zu
verraten und wurde aus der Schule geworfen. Er versuchte [20]
nun, sich zu Hause auf die Aufnahmeprüfung [58] an der
Universität vorzubereiten, aber da er in nichttechnischen
Fächern [59] schwach war, fiel er durch. Damit war ihm alle
Hoffnung auf ein Universitätsstudium genommen. Er erfuhr aber, daß das Züricher Polytechnikum naturwissen- [25]
schaftlich begabte Schüler auch ohne Gymnasialbildung
aufnehme. In Zürich war sein Lehrer in Physiek der glänzende Experimentalphysiker Kundt, der den unentschlos-
senen Studenten des Ingenieurwesens [60] leicht überredete,
Physiker zu werden.   [30]

[54] (der **Tuchfabrikant** cloth-manufacturer)   [55] der **Vorfahr** ancestor
[56] sich **ereignen** happen   [57] sich **weigern to refuse**
[58] (die **Aufnahmeprüfung** entrance examination)   [59] das **Fach** subject
[60] das **Ingenieurwesen** civil engineering

Als Kundts Assistent kam Röntgen nach Würzburg, aber
trotz Kundts Einfluß und der glänzenden Leistungen des
jungen Assistenten, weigerte sich die Universität, ihm
einen akademischen Titel zu verleihen, da Personen ohne
5 Gymnasialbildung nicht zur akademischen Laufbahn zu-
gelassen werden sollten. Es war eine Ironie des Schicksals,
daß Röntgen später als einer der besten seines Faches [61]
die Professur in Würzburg annahm und durch seine große
Entdeckung den Ruhm dieser Universität in der Welt ver-
10 breitete.

Hier begann Röntgen eine Reihe wichtiger physikali-
scher Arbeiten zu veröffentlichen, die seinen Namen bald
so bekannt machten, daß die größten damaligen Physiker
in Deutschland, von Helmholtz und Kirchhoff, eine Pro-
15 fessur für ihn an der Universität Gießen durchsetzten.[62]
Inzwischen [63] hatte Röntgen sich mit einer Verwandten
des Dichters Otto Ludwig, seiner Züricher Studentenliebe
Bertha Ludwig, verheiratet, mit der er fünfzig Jahre in
kinderloser aber glücklicher Ehe leben sollte.

20   Als Röntgen von Gießen nach Würzburg als Leiter des
dortigen physikalischen Instituts berufen wurde, war er
bereits einer der größten Physiker seiner Zeit. Nach seiner
großen Entdeckung häuften [64] sich aber die Ehren und
Angebote, und Röntgen wählte München auf die dringende
25 Bitte der bayrischen Regierung. Von 1900–1920 leitete er
das Physikalische Institut der Universität. Exzellenz, Geheimrat,[65] Professor Dr. Wilhelm Conrad Röntgen war
jetzt auf der Höhe seines Ruhmes, aber er blieb der be-
scheidene doch stolze Gelehrte trotz aller hohen Ehren.
30 Das Wörtchen „von" zu seinen vielen Titeln hinzuzufügen,
lehnte der Sohn einer alten bürgerlichen Familie ab.

---

[61] das **Fach** field   [62] (**durch-setzen** to succeed in obtaining)
[63] **Inzwischen** Meanwhile   [64] (sich **häufen** to increase)
[65] (**Exzellenz, Geheimrat** Excellency, Privy Councillor)

Röntgens Idealismus, seine hohe Auffassung von der geistigen Würde seines Berufes, kommt am schönsten in seinen akademischen Ansprachen zum Ausdruck. Die Bedeutung der Universität liege in der Förderung der Wahrheit und der Erziehung junger Menschen zu streng wissen- 5 schaftlichem Denken und nicht in dem materiellen Nutzen, der oft das Resultat wissenschaftlicher Forschung ist.

Diesen Idealen ist Röntgen sein ganzes Leben treu geblieben. Als im Jahre 1901 Nobelpreise zum ersten Mal 10 verliehen wurden, erhielt er als erster Physiker den Nobelpreis. Das Preisgeld, 50 000 schwedische Kronen, hinterließ er der Universität Würzburg. Von Stockholm nach Hause zurückgekehrt, sagte er in einer Ansprache in Bezug auf den ihm zuerkannten [66] Preis: „Verglichen mit der in- 15 neren Befriedigung über ein erfolgreich gelöstes Problem verliert jede äußere Anerkennung ihre Bedeutung."

Diese innere Befriedigung hat Röntgen oft empfunden, denn in den fast fünfzig Jahren seiner beruflichen Tätigkeit hat er nach Umfang und Wert [67] eine gewaltige Ar- 20 beitsleistung vollbracht. Schon seine ersten Veröffentlichungen über die spezifische Wärme der Luft aus der Würzburger und Straßburger Assistentenzeit bei Kundt zeigen ihn als einen Meister des Experiments. Dabei mußte er mit uns heute recht primitiv erscheinenden Mitteln ar- 25 beiten, aber er verstand es, übersehene Fehlerquellen zu entdecken und die letzte Dezimale festzustellen. Ein Blick auf die lange Liste seiner Veröffentlichungen zeigt auch dem Laien, daß er kein einseitiger Spezialist war. Da sind Veröffentlichungen, die sich mit der Apparatur für physi- 30 kalische Experimente befassen,[68] und theoretische Ar-

---

[66] zu-erkennen to award
[67] nach Umfang und Wert as regards volume and importance
[68] sich befassen to have to do

beiten über Kristallphysik, Elastizitätslehre, Elektrizitäts-
lehre usw.

In Röntgens Privatleben finden wir dieselbe Energie und
Vielseitigkeit. Der hochgewachsene kräftige Mann mit
5 dem ernsten Gelehrtengesicht sah allerdings wie ein Professor aus, aber während der Universitätsferien verwandelte sich der Herr Geheimrat in einen unermündlichen
Bergsteiger, scharfäugigen Jäger und naturliebenden Wanderer. Fast alle seine Ferien verbrachte [69] er mit Mün-
10 chener Freunden in Oberitalien, in der Schweiz und Oberbayern. In Bayern hatte er sogar ein schönes Jagdhaus,
wohin er seine Freunde zur Jagd [70] einlud.

Wie die meisten großen Naturwissenschaftler seines
Jahrhunderts war auch Röntgen ein kultivierter Mensch
15 mit literarischen und künstlerischen Interessen. Er las viel,
wenn er auch in seiner Lektüre Biographien, Reisebücher,
Briefsammlungen, also die realistischeren Werke der Literatur, bevorzugte.[71]

Auch diesem Leben auf der Höhe der Menschheit blieb
20 die Tragik nicht erspart. Die letzten Lebensjahre seiner
Frau waren Leidensjahre für sie. Schließlich brauchte sie
fünf Einspritzungen [72] täglich, um die Schmerzen ertragen
zu können, und Röntgen gab ihr diese Einspritzungen mit
mehr Geschick [73] als die behandelnden Ärzte. Nach dem
25 Tode seiner Frau feierte der einsame alte Mann jeden ihrer
Geburtstage vor ihrem Bild und oft las er ihr besonders
wichtige Briefe vor, wie er das zu tun gewohnt [74] war, als
sie noch lebte. Als Röntgen 1923 im Alter von 78 Jahren
starb, war seine Welt vollkommen zusammengebrochen.
30 Das Wilhelminische [75] Deutschland, dessen Aufstieg und

---

[69] **verbringen** to spend   [70] **zur Jagd** to go hunting
[71] **bevorzugen** to prefer   [72] (die **Einspritzung** injection)
[73] **das Geschick** skill   [74] **gewohnt sein** to be accustomed **to**
[75] **Wilhelminisch** of Emperor Wilhelm II (*1888–1918*)

Glanzzeit [76] in die besten Jahre seines Lebens fielen, war zertrümmert.[77] Der deutsche Name, zu dessen Ruhm auch er nicht wenig beigetragen hatte, war in der Welt mißachtet. Röntgen wußte um die sozialen und kulturellen Schwächen dieses Wilhelminischen Zeitalters, aber die 5 Leiden des Krieges, der politische und militärische Zusammenbruch und das Chaos der Nachkriegsjahre erschütterten ihn aufs tiefste.

Es ist von symbolischer Bedeutung, daß der Nobelpreis, den der idealistische Gelehrte der Würzburger Universität 10 hinterließ, zu einer lächerlichen Riesensumme entwertet wurde, die nur auf dem Papier existierte. So hatten sich der Glanz und die Hoffnungen der Jahrhundertwende in nichts aufgelöst. Der Idealismus dieser letzten Tat Röntgens aber ist nicht entwertet worden, denn sein Idealismus war nicht 15 zeitgebunden. Röntgens Glaube an die Wahrheit und die Würde des denkenden Menschen, der sie zu erfassen sucht, wird bestehen, solange die Menschheit seine große Entdeckung versteht, solange es eine menschliche Kultur gibt.

EXERCISES

Wednesday
Questions

A. Questions

1. Was wollte Röntgen in der vollkommenen Dunkelheit des Laboratoriums feststellen?
2. Welche Erscheinung verriet die Existenz der mysteriösen Strahlen?
3. Wo wurde die erste Durchleuchtung einer menschlichen Hand gemacht?
4. Was für Experimente führten zur Entdeckung der neuen Strahlen?
5. Was bedeutet das X in der Bezeichnung X-Strahlen, die Röntgen selber vorschlug?

[76] die **Glanzzeit** most brilliant period   [77] **zertrümmern** to destroy

6. Welche Röntgenaufnahme wurde für die medizinische Wissenschaft besonders wichtig?
7. Warum kaufte die englische Regierung mehrere Röntgenapparate?
8. Warum wollte Röntgen von der wirtschaftlichen Ausbeutung seiner Erfindung nichts wissen?
9. Wie erklären Barkla und Laue die Natur der Röntgenstrahlen?
10. Was hatte der Neid und die Bosheit einiger Zeitgenossen zu der großen Entdeckung zu sagen?
11. Was bedeuteten die nebligen Flecke auf Crookes' photographischen Platten?
12. Was war der Zweck der Röntgenaufnahmen am Hof der Königin von Portugal?
13. Was bedeutet es, wenn Historiker oder Biographen sagen: Die historische Stunde für diese Entdeckung war gekommen?
14. Wie kam es, daß Röntgen vom Studium des Ingenieurwesens zu dem der Physik überging?
15. Warum war es eine Ironie des Schicksals, daß Röntgen in Würzburg seine große Entdeckung machte?
16. Was galt Röntgen mehr als Ehren und Anerkennungen?
17. Was ist die symbolische Bedeutung der Entwertung des Nobelpreises, den Röntgen 1901 erhalten hatte?

B. Vocabulary Review

1. die **Forschung** *research*
2. die **Beobachtung** *observation*
3. die **Umgebung** *surrounding*
4. die **Betrachtung** *consideration*
5. die **Anerkennung** *recognition*
6. die **Befriedigung** *satisfaction*
7. der **Wohltäter** *benefactor*
8. die **Tatsache** *fact*
9. die **Zeitschrift** *periodical*
10. der **Bericht** *report*
11. die **Stelle** *place, position*
12. der **Zweifel** *doubt*
13. das **Wesen**
14. die **Sitte**
15. der **Nutzen**
16. die **Ehre**
17. das **Angebot**
18. der **Ausdruck**
19. die **Ursache**
20. der **Versuch**
21. die **Sorgfalt**
22. sorgfältig
23. der **Zufall**
24. zufällig
25. zufälligerweise
26. entdecken
27. der **Entdecker**
28. die **Entdeckung**

29. empfinden - *feel, sense*
30. die Empfindung - *sensation*
31. stammen aus - *to come from*
32. die Abstammung - *descent*
33. dauern *last*
34. sich weigern - *refuse*
35. wählen - *choose, elect*
36. beobachten
37. sich beschäftigen
38. beschließen
39. verursachen
40. verraten
41. verlangen
42. vergleichen
43. erfassen
44. erfahren
45. sich entschuldigen
46. beitragen
47. überreden
48. übertreiben
49. untersuchen
50. ablehnen
51. sich vorbereiten
52. feststellen
53. hinzufügen
54. zukünftig
55. seltsam
56. bescheiden
57. deutlich
58. gründlich
59. neugierig

60. sichtbar
61. begeistert
62. gelegentlich
63. besorgt
64. ähnlich
65. überraschend
66. schädlich
67. tüchtig
68. damalig
69. vergeblich
70. einzeln
71. vorläufig
72. übrigens
73. hauptsächlich
74. irgendwo
75. eigentlich
76. sogar
77. allerdings
78. namentlich
79. wenigstens
80. inzwischen
81. Arbeit leisten
82. noch einmal
83. nicht einmal
84. immer wieder
85. nicht im geringsten
86. anwesend sein
87. halten für
88. es versteht sich
89. in Bezug auf
90. es gibt

C. Practice Sentences

1. Das Wesen dieser Strahlen, deren Existenz nun entdeckt worden war, sollte erst viel später verstanden werden.
2. Da sich mit den der damaligen Wissenschaft zur Verfügung stehenden Mitteln keine Erklärung der Strahlen finden ließ, nannte sie Röntgen „X-Strahlen".
3. Die Gelehrten, die sich mit dieser Erscheinung beschäftig-

ten und die, die sich nicht mehr damit beschäftigten, da sie eine Erklärung gefunden zu haben glaubten, stritten sich jahrelang in ihren Journalen, bis Dupinages Entdeckung diesem Streit ein Ende setzte.

4. Es läßt sich der Grund für diese Erscheinung durch Experimente leicht feststellen.

5. In einem anderen von Schneider entdeckten alten Manuskript findet sich die Beschreibung eines sehr alten und interessanten Experiments.

6. Lassen Sie sofort eine Röntgenaufnahme vom Arm des Patienten machen!

7. Es fehlte natürlich nicht an neidischen Kollegen, die von einem Zufallsfund sprachen, um Röntgens Ruhm zu entwerten.

8. Röntgen ist ein typischer Sohn des an großen Erfindern und Entdeckern reichen neunzehnten Jahrhunderts.

9. Nun gab es zwar gewisse Phänomene, die auf die Existenz der Strahlen hinwiesen, aber keiner der Forscher, die sich mit Kathodenstrahlen beschäftigten, kümmerte sich um sie.

10. Durch Röntgenaufnahmen ließ sich das schmerzhafte Sondieren der Wunden vermeiden, da die Lage von Geschoßteilen im Körper nun leicht festzustellen war.

✛ 7 ✛

SPENGLER

Der Untergang des Abendlandes

Ehe ein Historiker anfängt, Geschichte zu schreiben, muß er einige wesentliche Fragen beantworten können, die ins Gebiet der Geschichtsphilosophie gehören, wie: Was ist wichtig genug unter all den vielen Geschehnissen unserer Welt, um in die Geschichte einzugehen? Ist Ge- 5 schichte bloße Bewegung, oder ist sie Bewegung auf ein Ziel hin?[1] Hat sie also einen Sinn? Wer oder was macht Geschichte? Was ist eine Kultur? Warum gehen große Kulturen unter?

Die Historiker verschiedener Zeiten und Völker haben 10 diese Fragen verschieden beantwortet. Die Ägypter z.B. hielten es für historisch wichtig, wie viele Löwen und Wildstiere Pharaoh auf diesem oder jenem Jagdzug erlegt hatte und berichteten es für die Zukunft. Auf die Frage, wer oder was macht Geschichte, antwortet in unserer Zeit 15 der Autor eines vielgelesenen Buches: es sei die Krankheit. Eins seiner vielen Beispiele ist der Sieg der kommunistischen Bewegung in Rußland, dessen letzten Grund er in der Krankheit des Zarensohnes sieht, der ein Bluter[2] war. Nur Rasputin[3] konnte dem kranken Knaben Er- 20

---

[1] auf . . . hin directed toward
[2] der Bluter bleeder, hemophiliac
[3] Rasputin *Russian court favorite, posing as a monk* (*1871–1916*)

97

leichterung geben; die dankbare Zarin überhäufte [4] den
üblen Mönch mit Ehren; sein Einfluß bei Hofe wurde immer stärker und führte schließlich zur Revolution.

5 Das eben gegebene Beispiel mag auf den ersten Blick
überzeugend wirken. Es liegt ihm aber eine Geschichtsphilosophie zugrunde,[5] die sehr fraglich ist. Die Krankheit, die ja zufällig und vom Menschen nicht geplant ist,
zum herrschenden Einfluß in der Geschichte machen, bedeutet, den Zufall zum Herrscher der Geschichte machen.
10 Nun ist es zwar denkbar, daß der Zufall die Welt regiert;
aber man kann gegen diese Annahme [6] auch überzeugende
Gründe vorbringen, die den menschlichen Willen und die
menschliche Intelligenz zum Kraftzentrum der Geschichte
machen. Pascals [7] Bemerkung sei hier als Kritik dieser Phi-
15 losophie erwähnt, die dem Zufall eine so hohe Bedeutung
gibt: Wäre Kleopatras Nase kürzer gewesen, so sähe die
ganze Welt heute anders aus.

In keinem Zeitalter hat man sich in Laienkreisen und in
der gelehrten Welt so intensiv mit geschichtsphilosophi-
20 schen Fragen befaßt,[8] wie in unserem, dessen weltweite,
historische Katastrophen auch den naiveren Mitbürgern
die Hamletklage aufzwingen: „Die Welt ist aus den Fugen." [9] Leider gibt es auf die vielen besorgten Fragen nur
höchst widerspruchsvolle [10] Antworten. Liest man z.B. die
25 Bücher, Aufsätze und Reden, die sich mit der Frage befassen, warum es in unserem modernen aufgeklärten Zeitalter Kriege gibt, so erhält man die folgende chaotische
Liste von Kriegsgründen: Ehrgeiz,[11] Bosheit, Wahnsinn
oder Dummheit der verantwortlichen Staatsmänner und

---

[4] (überhäufen to overwhelm)   [5] es liegt ihm zugrunde it is based on
[6] die Annahme assumption
[7] Pascal *French philosopher* (1623–1662)
[8] sich befassen mit to concern oneself with
[9] (ist aus den Fugen is out of joint)
[10] widerspruchsvoll contradictory   [11] der Ehrgeiz ambition

Politiker, das Problem der Arbeitslosigkeit, der militaristische Instinkt gewisser Rassen, falsche Jugenderziehung, Nietzsches Philosophie, die Philosophie der Romantiker, Rohstoffmangel,[12] Handelsinteressen, Profitgier der Kriegsgewinnler,[13] Mangel an Lebensraum u.s.w. 5

Da ist es verständlich, daß ein wahrhaft großer Geschichtsphilosoph in unseren Tagen ein williges Ohr findet. Wahrhaft große Geschichtsphilosophen sind aber selten, denn philosophisches Genie und eine gründliche Kenntnis der historischen Tatsachen finden sich nicht leicht bei ein 10 und demselben Gelehrten.

Unter den Geschichtsphilosophen unseres Jahrhunderts haben zwei eine große Zahl von Anhängern oder, sollen wir sagen, Gläubigen gefunden, Spengler und Toynbee. Spenglers Werke waren von großem Einfluß in der Zeit nach 15 dem ersten Weltkriege; Toynbees Werke erschienen kurz vor dem zweiten Weltkrieg. Spenglers Philosophie oder wenigstens einige seiner Gedanken sind philosophisches Gemeingut [14] geworden und in den Sprachschatz [15] Deutschlands und auch nichtdeutscher Länder einge- 20 drungen, was um so erstaunlicher ist, da das Endresultat von Spenglers Philosophieren ein durchaus pessimistisches ist. Spengler glaubt das Ende der abendländischen Kultur voraussagen zu können, wie man den Tod eines organischen Wesens voraussagen kann. Der einzige Trost, den er für 25 die weiße Menschheit hat, ist das Motto seines Buches, ein Spruch des Stoikers Seneca: „Ducunt volentem Fata, nolentem trahunt"—Wer freiwillig geht, den führen die Schicksalsgöttinnen, den Widerstrebenden schleppen sie.[16]

Toynbee hat eine positivere Auffassung der mensch- 30 lichen Geschichte, wie das bei seiner religiösen Betrach-

---

[12] der **Rohstoffmangel** lack of raw material
[13] (der **Kriegsgewinnler** war-profiteer)
[14] das **Gemeingut** common property   [15] der **Sprachschatz** vocabulary
[16] (den **Widerstrebenden schleppen sie** the one who resists they drag)

tungsweise zu erwarten ist. Ob Toynbee recht hat oder
Spengler, ist damit natürlich nicht bewiesen. In den letzten
Jahrzehnten haben die geschichtlichen Ereignisse Spengler recht gegeben, wer aber auf die Dauer [17] von den bei-
5 den recht hat, wird erst eine Zukunft lehren, die die Leser
dieses Aufsatzes kaum noch erleben werden.

Trotz seines nihilistischen Endresultats wurde Spenglers
Werk in viele Sprachen, darunter die arabische, übersetzt.
Das ganze gebildete Abendland wurde mit seinem Werk
10 bekannt und reagierte mit blinder Verehrung, die in
Spengler den größten Philosophen des Zeitalters sah, oder
mit erbitterter Kritik, die aus ihm einen der falschen Propheten machte, dessen Einfluß dem Wiederaufbau euro-
päischer Kultur schade.

15   Viele Jahre sind seit dem Erscheinen der beiden Bände
des Spenglerschen Werkes (1918, 1922) vergangen, und
Spengler hat inzwischen in Lob und Tadel gerechtere Beurteilung gefunden. Noch heute sind seine Bücher von großer
Bedeutung auf dem Gebiet der Geschichtsphilosophie und
20 wurden bis zur Jahrhundertmitte, bis zum Bekanntwerden
Toynbees, auch in Amerika viel gelesen und oft zitiert. Bei
den meisten der Laien, die Spengler loben oder verurteilen,[18] ist die Bekanntschaft allerdings zweiter Hand,
denn die beiden Bände des Spenglerschen Werkes ent-
25 halten mehr als tausend Seiten und setzen ihrer Gedankenfülle wegen einen geduldigen und geschichtlich sowohl
wie philosophisch gut geschulten Leser voraus.[19]

Wenn hier nun der Versuch gemacht wird, einige
Grundgedanken des Spenglerschen Werkes zu erklären, so
30 sollte sich der Leser immer darüber im Klaren sein, daß er
nur mit einigen, nicht mit allen wichtigen Gedanken

---

[17] **auf die Dauer** in the long run   [18] **verurteilen** to condemn
[19] **voraus-setzen** to presuppose

Spenglers bekannt gemacht wird, und daß dies nur in großen Umrissen [20] geschehen kann.

Spengler glaubt, eine Morphologie der Geschichte entdeckt zu haben, in anderen Worten, ein Entwicklungsgesetz, dem alle Hochkulturen unterworfen [21] sind. Da wir 5 die Endphasen untergegangener Kulturen kennen, die viel älter sind als das Abendland, muß es nach Spengler möglich sein vorauszusagen, welche Endphasen unserer Kultur bevorstehen. Der erste Band des Spenglerschen Geschichtswerkes beginnt: „In diesem Buch wird zum ersten Mal der 10 Versuch gewagt, Geschichte vorauszubestimmen. Es handelt sich darum,[22] das Schicksal einer Kultur, und zwar [23] der einzigen, die heute auf diesem Planeten in Vollendung begriffen ist,[24] der westeuropäisch-amerikanischen, in den noch nicht abgelaufenen Stadien zu ver- 15 folgen."

Will man Spenglers Werk in den Grundzügen verstehen, so muss man zunächst feststellen, was neu in seiner Betrachtungsweise ist. Spengler steht in scharfem Gegensatz zu zwei wesentlichen Standpunkten in der Geschichts- 20 philosophie des Abendlandes, die sich bei angesehenen Gelehrten, aber auch im Denken des geistigen sowie des durchschnittlichen Menschen finden. Diese Standpunkte sind, in kurzen Formeln ausgedrückt, erstens: Alle Geschichte ist Heilsgeschichte,[25] d.h. sie führt zur vollkom- 25 menen oder teilweisen Erlösung des Menschen von allem Übel; zweitens: Was auch immer [26] geschieht, vollendet sich in Europa.

Der Gedanke der Heilsgeschichte geht auf das christ-

[20] (in großen Umrissen in outline)   [21] unterwerfen to subject
[22] es handelt sich um it is a question of   [23] und zwar that is
[24] in Vollendung begriffen ist is progressing toward completion
[25] (die Heilsgeschichte history of salvation)
[26] was auch immer whatever

liche Denken zurück, das im Reich Gottes auf Erden das Ziel der geschichtlichen Entwicklung sah. Dieses religiöse Ziel wurde seit der Renaissance zugunsten [27] weltlicher Ziele verdrängt.[28] In allen abendländischen Geschichts-
5 philosophien fand sich der Gedanke, daß die Geschichte eine ständige Entwicklung auf eine bessere Zukunft hin sei. Diese bessere Zukunft soll eine Zeit des Friedens und der wiedergewonnenen Unschuld sein und hat nach der Weltanschauung der Historiker verschiedene Namen: Der
10 Weltstaat der Vernunft und vollkommenen Aufklärung; das Reich der technischen Vollendung ohne Armut und ohne Krieg; die klassenlose Gesellschaft; oder ein Welt- staat, in dem die einzelnen Staaten in einer Föderation friedlich zusammen leben.

15 Es war ein Grundgedanke der Hegelschen Geschichts- philosophie, daß alles für die Menschheit Wichtige in Eu- ropa entstehe oder sich in Europa vollendet habe. Bei der ersten Behauptung dachte Hegel etwa an die Erfindung der Dampfmaschine, bei der zweiten etwa an das Christen-
20 tum, das ja erst in Rom und Nordeuropa die Form ange- nommen hat, in der es die nicht-europäische Welt kennen- gelernt hat. Sagt man heute Abendland anstatt Europa, so ist Hegels Überzeugung noch immer die Überzeugung der großen Mehrheit der weißen Völker. Der abendländische
25 Mensch nimmt es als selbstverständlich an, daß Athen und Rom, die Zentren klassischer und christlicher Kultur, auf denen die abendländische Kultur beruht, die Grundlagen aller wahren Kultur sein müssen. Je nach [29] der Nationali- tät des Denkers, Staatsmannes oder Durchschnittsbürgers
30 wird als dritte Grundlage noch Paris, Madrid, London oder Weimar hinzugefügt. Aus diesem Glauben an die Weltsendung [30] der abendländischen Kultur stammt ja

---

[27] **zugunsten** in favor of   [28] (**verdrängen** to displace)
[29] **Je nach** Depending upon   [30] (die **Weltsendung** world mission)

auch das Überlegenheitsgefühl, mit dem der weiße Abendländer den Rest der Welt beurteilt, bereist, bekriegt und
kolonisiert.

Spengler verneint energisch die Weltsendung der abendländischen Kultur. Diese ist ein riesiger Organismus wie 5
jede andere Kultur und muß als Organismus altern, kann
sich also nicht endlos weiterentwickeln. Es ist nach Spengler unsinnig, Kulturen miteinander zu vergleichen, da es
keinen überkulturellen Maßstab [31] gibt. Die Menschheit ist
für Spengler nur eine Abstraktion, nicht ein Wertbegriff,[32] 10
wie ja auch der Begriff Tier nur eine Abstraktion und kein
Wertbegriff ist. Man kann die Gazelle und den Tiger an
keinem beiden gemeinsamen Maßstabe messen und dem
einen oder anderen Lebewesen den Vorrang [33] geben. Wer
sagt, der Tiger sei schöner oder ein besseres Tier als die 15
Gazelle, drückt nur ein subjektives Werturteil [34] aus. Genau so wenig kann man nun nach Spengler die chinesische
Kultur etwa mit der abendländischen vergleichen. Es gibt
keine Stufenordnung [35] unter den verschiedenen Hochkulturen, die auf unserem Planeten existiert haben und noch 20
existieren. Eine solche Hochkultur ist für Spengler, wie
schon gesagt, ein sehr komplexer Riesenorganismus, dessen
Wesen,[36] wie das Wesen eines Tieres oder einer Pflanze
weder erklärt noch kritisiert werden kann.

Spengler sieht in der Weltgeschichte das Vorkommen [37] 25
von acht Kulturen, deren letzte unsere abendländische Kultur ist. Er schließt die japanische Kultur nicht in diese acht
ein, da Japan in seinen Anfängen eine chinesische, in seiner
späteren Entwicklung nur eine amerikanische Kultur-
kolonie sei. Die acht Kulturen erscheinen im Zeitraum der 30
letzten fünftausend Jahre, und ihr Erscheinen ist nach

[31] der **Maßstab** standard   [32] der **Wertbegriff** concept of value
[33] (der **Vorrang** precedence)   [34] das **Werturteil** judgement of value
[35] die **Stufenordnung** graduated order   [36] das **Wesen** *here* essence
[37] das **Vorkommen** occurrence

Spengler ein kosmisches Ereignis wie die Entstehung eines
Sternes oder des Lebens auf unserem Planeten. Für
menschliche Betrachtung ist dieses ziemlich plötzliche Erscheinen zufällig, ein tieferer Sinn läßt sich nicht dafür
5 finden.

Um 3000 v. Chr. entstehen die beiden ältesten Kulturen,
die ägyptische am unteren Nil und die babylonische am
unteren Euphrat. Die nächste Kultur, die indische, entsteht um 1500 v. Chr. im Pandschab. Pandschab ist das
10 indische Wort für „Fünf Ströme". Die Uferländer [38] dieser
fünf Ströme sind der mütterliche Boden, auf dem die indische Kultur wächst. Die chinesische Kultur, die etwa
1400 v. Chr. am mittleren Huangho, dem zweiten Hauptstrom Chinas, entsteht, ist wiederum eine Flußkultur. Es
15 sei bei dieser Gelegenheit erwähnt, daß Spengler diesem
Umstand [39] wenig Aufmerksamkeit schenkt.[40] Er macht im
allgemeinen wenig Gebrauch von den zu seiner Zeit schon
sehr bekannten Zusammenhängen zwischen Geographie
und Geschichte. Geopolitische Gedanken liegen seiner Be-
20 trachtung fern.[41] Die antike Kultur, die uns von den vergangenen Kulturen am bekanntesten ist, und der Spengler
die meisten Beispiele entnimmt, entsteht um 1100 v. Chr.
am Ägäischen Meer. Zu Beginn unserer Zeitrechnung soll
nach Spengler die arabische Kultur entstanden sein. Diese
25 Kultur wird in der Geschichtswissenschaft gewöhnlich
nicht als eine einheitliche Kultur aufgefaßt, und es gibt deshalb auch keinen allgemein gebrauchten Namen dafür.
Spengler faßt unter arabischer Kultur die kulturellen und
politischen Ereignisse zusammen, die in den Städten Jeru-
30 salem, Byzanz, Bagdad vor sich gingen.[42] Auf dem amerikanischen Kontinent entstand die sogenannte mexikani-

---

[38] das **Uferland** shore land   [39] der **Umstand** circumstance
[40] **Aufmerksamkeit schenken** to devote attention to
[41] **liegen . . . fern** do not enter into   [42] **vor sich gehen** to take place

sche Kultur, deren Frühzeit Spengler ins dritte und vierte
vorchristliche Jahrhundert setzt. Die historischen Denk-
mäler der Mayakultur und der aztekischen Kultur sind
dank der Zerstörungswut der Conquistadores und ihrer
Banden äußerst spärlich,[43] und so wird man sich wohl nie 5
über das Ursprungsdatum der mexikanischen Kultur
einigen können. Das Zeitalter Karls des Großen [44] bedeutet
für Spengler den Beginn der abendländischen Kultur, die
demgemäß um 900 in Westeuropa begann.

In diesen acht Kulturen sieht Spengler ein Entwick- 10
lungsgesetz, das biologischer Natur ist, da es sich hier um
Wachstum und Tod handelt.[45] Spengler führt hier Gedanken fort, die der große Geschichtsphilosoph des 18.
Jahrhunderts, Goethes Freund Herder, zuerst in größerem
Maßstab für geschichtliche Betrachtungen angewandt [46] 15
hatte. Auch Herder sprach von der „Jugend" der Völker,
als wären sie Organismen.

In allen Hochkulturen sieht Spengler vier Entwicklungs-
stufen, die er mit den Namen der Jahreszeiten bezeichnet.
Der Frühling ist das Anfangsstadium, die Zeit, wo die Kul- 20
tur aus ihrer mütterlichen Landschaft emporwächst und
sich aus den chaotischen oder primitiven Zuständen der
Vorzeit losmacht. Im Frühling ihres Lebens erschaffen sich
die Hochkulturen eine Mythe als Ausdruck eines neuen
Gottesglaubens. So vergleicht Spengler die arischen 25
Heldensagen der Inder, die homerischen Epen und die
europäischen Ritterepen [47] sowie das Nibelungenlied [48]
der Deutschen miteinander.

---

[43] (spärlich meager)
[44] Karl der Große, Charlemagne, Emperor of the West and king of the
Franks (768–814)
[45] es handelt sich um are involved   [46] an-wenden to apply
[47] das Ritterepos knightly epic
[48] das Nibelungenlied German epic of 12th century, dealing with Siegfried, the Burgundians, and Kriemhild's revenge at Attila's court

Die Heldensagen der arischen Eroberer Indiens entstanden zwischen 1500 und 1200 v. Chr.; die Homer zugeschriebenen [49] Epen zwischen 1100 und 800 v. Chr.; das
Nibelungenlied und die europäischen Ritterepen im
5 zwölften Jahrhundert n. Chr.[50] Trotz dieser gewaltigen
Zeitabstände nennt Spengler diese mythisch heroischen
Literaturschöpfungen „gleichzeitig". Mit diesem Begriff
will er darauf hinweisen, daß etwas in derselben „Jahreszeit" der verschiedenen Kulturen geschehen ist, zu einer
10 Zeit also, in der sie auf der gleichen Entwicklungsstufe
standen.

Der Sommer bringt ein klareres Bewußtsein, das sich in
den nun entstehenden Städten entwickelt. Anstatt der rein
religiösen Welterklärung beginnt jetzt die philosophisch
15 kritische Welterklärung. „Gleichzeitig" sind hier die vor-
sokratischen griechischen Philosophen des sechsten und
fünften Jahrhunderts und in der abendländischen Entwicklung Männer wie Galilei, Bacon, Descartes und Leibniz aus dem sechzehnten und siebzehnten Jahrhundert.
20 Spengler führt seine Analogien für alle acht Kulturen aus,
soweit ihm das die historische Überlieferung gestattet. In
diesem Aufsatz werden im allgemeinen nur seine Beispiele
aus der Antike zum Vergleich verwendet,[51] da die Namen
und Ereignisse aus anderen Kulturen dem Leser zu unbe-
25 kannt sein dürften.

Der Höhepunkt streng rationalen Denkens, die Aufklärung, beginnt im Herbst. Den Sophisten und Sokrates
entsprechen [52] die englischen Sensualisten wie Locke, und
Voltaire und die französischen Enzyklopädisten. Jetzt
30 herrscht der Glaube an die Allmacht des Intellekts, und infolgedessen finden sich jetzt auch die großen mathemati-

---

[49] **Homer zugeschriebenen** attributed to Homer
[50] **n. Chr.** = **nach Christus** A.D.   [51] **verwenden** to use
[52] **entsprechen** correspond to

schen Genies. Den Mathematikern zur Zeit Platos stellt Spengler Männer wie Euler, Lagrange und Laplace gegenüber.

Der Winter der Hochkultur ist eine Zeit des Absterbens, die nicht mehr den Namen Kultur verdient. Spengler nennt 5 diese Zeit die Zeit der Zivilisation. Im Deutschen hatte das Wort Zivilisation schon vor Spengler einen negativen Sinn. Zivilisation im allgemeinen Sprachgebrauch bedeutet eine Kultur, die bei aller äusseren Verfeinerung und technischen Vollendung seelenlos ist. 10

In einer Zivilisation besteht ein auffallender Gegensatz zwischen der hochentwickelten Technik und Organisation und dem Tiefstand alles dessen, was zum Geistes- und Seelenleben eines Volkes oder einer Zeit gehört. Auf den Gebieten der Kunst, des Gesellschaftslebens, der Religion, 15 der Bildung, des Familienlebens herrscht entweder ein starrer [53] und leerer Formalismus oder Chaos, ja Barbarei. Ein gutes Beispiel sind die herrlichen prunkvollen [54] Theater unserer Weltstädte, in denen mit wunderbarer Technik (Beleuchtung, Szenerie usw.) mittelmäßige, sogar wert- 20 lose Stücke aufgeführt werden.

Im Winter der Hochkultur entwickelt sich die Weltstadt mit ihren ziellos treibenden Massen. Die Formen der Kultur sind nicht länger organisch an eine Landschaft und an ein bestimmtes Volk gebunden; sie werden international. 25 Die Gladiatorenkämpfe, die die Massen Roms belustigten, konnte man in Cäsarea, in Alexandria, aber auch in den kleineren Städten des Weltreiches sehen. Reiche Syrer, Afrikaner, Gallier bauten ihre Villen im selben Stile wie römische Regierungsbeamte und verzierten [55] die Wände 30 mit denselben Fresken, die der Reisende heute noch in den Häusern römischer Patrizier in Pompeji sehen kann. Modernisiert man Spenglers Beispiele etwas, so kann man auf

[53] (starr stiff)   [54] (prunkvoll showy)   [55] (verzieren to decorate)

den internationalen Unterhaltungswert amerikanischer
Karikaturen wie des Seemanns Popeye oder des Übermen-
schen, und auf die heute international gewordene Verehrung von Faustkämpfern, Baseballspielern und „Stars"
5 hinweisen. Auch die internationale Verbreitung der Holly-
wood Filme, des modernen Baustils und des Jazz könnte
hier erwähnt werden.

Als besonders interessante Erscheinung der Spätzeit
erwähnt Spengler die sozialen Bewegungen irreligiöser
10 Natur, die an die Stelle alter Religionen und metaphysi-
scher Denksysteme treten.[56] Sie stammen von einer Denkart, der das Leben selber zum Problem geworden ist. Aus
dem Mitleid mit dem ungeheuren Leiden der Menschheit,
das man in dieser Epoche fast ausschließlich sieht, wächst
15 eine Philosophie, die z.B. in Indien zum Buddhismus mit
seiner Nirwanastimmung [57] (seit etwa 500) geführt hat.
Alles, wonach die Hochkulturen gestrebt haben, wird jetzt
fraglich: Macht, Ehre, ein schönes kraftvolles Dasein,
geistige Verfeinerung, Luxus und Reichtum. In der Welt
20 der Antike ist diese Stimmung durch den international ver-
breiteten hellenistisch-römischen Stoizismus vertreten
(seit 200 v. Chr.). Im Islam breitet sich seit 1000 n. Chr.
ein praktischer Fatalismus aus. „Inshallah"—wenn Allah
es so will—ist sein Schlagwort.[58] Diesen geistigen Bewe-
25 gungen entsprechen nach Spengler die seit 1900 im Abendland sich ausbreitenden sozialistischen Denksysteme und
die vielen Unternehmungen, deren Zweck der Kampf gegen das soziale Elend ist.

Da die Lebenszeit einer Kultur ungefähr tausend Jahre
30 dauert, steht die abendländische Kultur, die, wie erwähnt,
um etwa 900 begann, vor ihrem endgültigen Untergang.

[56] an die Stelle treten to take the place of
[57] (die Nirwanastimmung nirvana-mood)
[58] das Schlagwort catchword

In der Geschichte der Antike haben wir „gleichzeitig"
die imperialistischen Unternehmungen Alexanders und
Roms Vernichtungskrieg gegen die konkurrierende Seemacht Karthago. Der ägyptischen Geschichte entnimmt
Spengler als Beispiel die zwei blutigen Jahrhunderte der 5
sogenannten Hyksoszeit, in der ausländische Generäle als
Diktatoren regierten, und die mit dem Sieg der Herrscher
von Theben endete. (15. und 16. Dynastie). Nach diesen
blutigen Kriegen kommt das Endstadium des „Cäsaris-
mus". Es ist der Sieg der Gewaltherrschaft, der sogar das 10
Geld, d.h. die Wirtschaftsmächte, unterliegt. Die Cäsaren
vereinigen die formlose Bevölkerung in Riesenreichen, die
sie in primitiv despotischen Formen regieren. So war es
im alten Rom nach Augustus, im Ägypten der 18. Dynastie,
und so wird es nach Spengler im Abendland um 2000 sein. 15
Alle Kulturformen verlieren jetzt ihre Vitalität. Beispiele
für dieses entwicklungslose Weiterbestehen sind die stati-
schen Formen der ägyptischen, chinesischen und byzanti-
nischen Kultur. Solch eine greisenhafte [59] Zivilisation ist
reif für die Einfälle der Barbaren oder einer jungen aufstei- 20
genden Hochkultur. Jeder verwegene [60] Führer einer
starken Bande von Berufskriegern hat leichtes Spiel mit
den verweichlichten und degenerierten Bewohnern der
sterbenden Weltstädte. Babylon, Athen, Rom wurden die
Beute von zahlenmäßig weit kleineren Barbarenhorden. 25
Als die Mongolen 1401 Mesopotamien eroberten, bauten
sie ein Siegesdenkmal von 100 000 Schädeln der Bevölkerung von Bagdad, die sich nicht wehren konnte und sich
nicht wehren wollte.
Die Hochkultur stirbt, aber ihre biologische Grundlage, 30
die Menschen, leben von Generation zu Generation weiter.
Für ihr Weiterbestehen zeigt die Geschichte zwei Möglichkeiten: Eine andere Hochkultur kann die Menschenmassen

[59] (greisenhaft senile)   [60] (verwegen daring)

in sich aufnehmen, wie das z.B. bei der Kultur der Antike beobachtet werden kann, die von der abendländischen Kultur absorbiert wurde. Die zweite Möglichkeit ist das Zurücksinken der Bevölkerung in einen primitiven Zustand.
5 Das beste Beispiel dafür bietet Ägypten mit seiner schon längst ausgestorbenen Hochkultur. Die Fellachen, die vor vielen tausend Jahren in Memphis und Theben in modern aussehenden Weltstädten lebten, hausen heute in fensterlosen Hütten aus Nilschlamm,[61] ernähren sich kümmer-
10 lich [62] durch primitivsten Ackerbau und erbetteln hier und da von dem "Herrn," dem Abendländer, ein Almosen. Nach ihnen nennt Spengler die letzte und endgültige Stufe,[63] auf die die Hochkultur herabsinkt, das Fellachentum.[64]

Für Amerikaner ist das beste Beispiel solches Fellachen-
15 tums in Mexiko zu finden, wo die Nachkommen der Pyramidenbauer, der Azteken und Mayastämme, ihr primitives Dasein zwischen den Ruinen der Großstädte führen. Dabei sind diese primitiven Indianer nur 500 Jahre von ihren Vorfahren entfernt, die der mexikanischen Hochkultur
20 angehörten.

Bei der riesigen Stoffmasse, die Spengler in seinem Werk verwendet, ist es selbstverständlich, daß er sich hier und da in Einzelheiten geirrt hat. Die Spezialisten haben ihn kritisiert, aber das riesige Gebäude seiner Gedankenwelt
25 bricht nicht zusammen, wenn man ein paar Steine herausnimmt. Eine endgültige Kritik Spenglers kann, wie schon gesagt, nur die Zukunft bringen. Wie bei jeder allumfassenden [65] Philosophie läßt sich auch bei Spengler Wahrheit und Irrtum nicht mehr beweisen, denn vieles in Spenglers
30 Werk ist Meinungssache oder dichterische Vision.

[61] (der **Nilschlamm** Nile mud)   [62] **kümmerlich** poorly
[63] **die Stufe** level
[64] das **Fellachentum** *a state of cultural primitivism and unproductivity* (*do not translate*)
[65] **allumfassend** all-inclusive

Nur zwei kritische Gesichtspunkte seien hier erwähnt.
Es fragt sich,[66] ob höchste und letzte Erkenntnisse menschlicher Dinge ohne Liebe möglich sind. Spenglers kalter
intellektueller Stolz kennt weder Liebe zum Menschen
noch zum Leben. Mit einer gewissen Genugtuung spricht 5
er zu dem alternden Abendland von den Schrecken der
Vernichtung, die ihm noch bevorstehen sollen. Schließlich
fragt es sich auch noch, ob Untergang und Wandlung [67]
dasselbe sind. Goethe, der als Denker so groß war wie als
Dichter, hinterließ uns in einem seiner Gedichte das tapfere 10
und tröstliche Wort:

> Und solang du das nicht hast,
> Dieses: Stirb und werde! [68]
> Bist du nur ein trüber Gast
> Auf der dunklen Erde.   15

EXERCISES

A. Questions

1. Warum wurde Rasputins Einfluß am Zarenhofe immer
   größer?
2. Warum gibt es nicht viele große Geschichtsphilosophen?
3. Welchen Vorwurf machen Spenglers Kritiker diesem Geschichtsphilosophen?
4. Warum findet Spenglers Buch nicht sehr viele Leser?
5. Was für ein Entwicklungsgesetz glaubt Spengler entdeckt
   zu haben?
6. Welche weltlichen Ziele verdrängten das religiöse Ziel, das
   Reich Gottes auf Erden zu begründen?
7. Warum fühlt sich der weiße Abendländer oft dem Rest der
   Welt überlegen?
8. Warum kann man nicht feststellen, ob die chinesische Kultur oder die europäische Kultur besser ist?
9. Warum rechnet Spengler die japanische Kultur nicht zu
   den großen Kulturen?

[66] **Es fragt sich** It is questionable   [67] (**die Wandlung** transformation)
[68] **Dieses: Stirb und werde!** This: die in order to be ready for a new life

10. Welche der alten Kulturen sind Flußkulturen?
11. Was haben die großen Kulturen nach Spengler mit einem Organismus gemeinsam?
12. In welche „Jahreszeit" der abendländischen Kultur gehören nach Spengler Männer wie Galilei, Bacon und Leibniz?
13. Inwiefern ist die moderne Weltstadt den Weltstädten der sterbenden Antike ähnlich?
14. Was geschieht mit den Menschenmassen einer toten Hochkultur?
15. Was sind die beiden kritischen Gesichtspunkte, von denen aus Spenglers Philosophie kritisiert worden ist?

B. Vocabulary Review

1. der Trost		27. sich befassen mit	
2. der Zweck		28. beurteilen	
3. der Sieg		29. beobachten	
4. der Stolz		30. vergleichen	
5. die Beurteilung		31. verwenden	
6. die Behauptung		32. erobern	
7. die Bemerkung		33. erwähnen	
8. die Betrachtung		34. entsprechen	
9. die Verehrung		35. feststellen	
10. die Auffassung		36. voraussagen	
11. der Anhänger		37. annehmen	
12. der Zustand		38. ausdrücken	
13. das Schicksal		39. überzeugen	
14. das Ereignis		40. die Überzeugung	
15. die Mehrheit		41. gebildet	
16. die Grundlage		42. wesentlich	
17. der Begriff		43. verantwortlich	
18. der Maßstab		44. durchschnittlich	
19. der Zusammenhang		45. gewöhnlich	
20. das Wachstum		46. fraglich	
21. die Stimmung		47. geduldig	
22. der Herrscher		48. riesig	
23. der Zufall		49. endgültig	
24. zufällig		50. gleichzeitig	
25. gestatten		51. durchaus	
26. berichten		52. äußerst	

53. demgemäß
54. infolgedessen
55. ausschließlich
56. es fragt sich

57. recht geben
58. entweder . . . oder
59. v. Chr.
60. n. Chr.

C. Practice Sentences

1. Um Spengler richtig zu verstehen, muß man sich darüber im Klaren sein, daß in seinem Werk der Versuch gemacht wird, eine Theorie geschichtlicher Entwicklungen zu finden.
2. Es war nicht zu erwarten, daß er recht hatte.
3. Es handelt sich hier um einen Versuch, geschichtliche Entwicklungen vorauszusagen.
4. Den Gedanken der Heilsgeschichte können wir in den seit der Renaissance entstandenen weltlichen Philosophien immer wieder finden.
5. Vergleicht man die Phasen der von Spengler untersuchten acht Kulturen miteinander, so entdeckt man ein Entwicklungsgesetz, das dem organischer Körper sehr ähnlich ist.
6. Des pessimistischen Endresultates wegen Spenglers Philosophie für falsch zu halten, heißt den Wunsch zum Vater des kritischen Gedankens machen.
7. Der englische Geschichtsphilosoph Toynbee gelangt zu ganz anderen Theorien über Entstehung und Untergang der Kulturen als Spengler. Während dieser seine Philosophie auf dem schematischen Verlauf der Kulturen aufbaut, hält Toynbee eine Kulturmorphologie für nicht möglich.
8. Es läßt sich in unserer Zeit keine Geschichtsphilosophie aufstellen, die sich nicht aufs genauste an historische Tatsachen hält.
9. Will man wissen, wem in diesem Streit der Meinungen recht zu geben ist, so muß man die Zukunft befragen. Solche Fragen können nicht von Zeitgenossen beantwortet werden.
10. Über die im Winter der Hochkultur entstehende Weltstadt hat Spengler kein gutes Wort zu sagen.

DER ATLANTISCHE OZEAN

R. CHAVEEN

AMAZONEN-STROM

Nach Havanna

CARACAS · CUMANA
ORINOKO
CASIQUIARE
RIO NEGRO
RIO
BOGOTA
MAGDALENA
QUITO
CHIMBORAZO
LIMA
CALLAO

HAVANNA
TRINIDAD
USA
CARTAGENA
GUAYAQUIL
TRUJILLO

VERACRUZ
MEXIKO
ACAPULCO

DER STILLE OZEAN

Alexander von Humboldts
Reise in die
Aequinoktial-Gegenden
des neuen Kontinents
1799-1804

✤ 8 ✤

HUMBOLDT

Das Universalgenie der Naturwissenschaft

Auf der Fahrt von Ecuador nach Mexiko hatte die Fregatte Orúe mit einem schweren Sturm kämpfen müssen. Als sich aber am dreißigsten Reisetage hinter einer Landzunge die weite Bucht von Acapulco zeigte, vergaß die Schiffsmannschaft Leiden und Müdigkeit. Ein Kommando 5 des Kapitäns, und mit freudigem Geschrei stürzten die Seeleute an die Kanonen, um dem Hafen, wie es Brauch war, ihre Ankunft zu melden. Eine Breitseite donnerte über die stillen Wasser des Pazifik, und noch ehe sich der Rauch verzogen [1] hatte, antworteten die schweren Kanonen der 10 Festung San Diego.

Der Kanonendonner brachte die Bevölkerung und auch den Gouverneur ans Pier. Während der Hafen von Veracruz jährlich 400–500 Schiffe aufnahm, besuchten den Hafen von Acapulco kaum zehn Schiffe im Jahr, die von 15 den Philippinen, von Peru und Ecuador kamen. Die Ankunft der Fregatte Orúe war also ein Ereignis. Die Neugierigen hatten erwartet, Kaufleute oder Offiziere aus Peru an Land kommen zu sehen; statt dessen führte der Kapitän drei junge Männer zum Gouverneur, von denen zwei offen- 20

[1] (sich **verziehen** to disappear, waft away)

115

sichtlich aus Ländern kamen, über die der König von
Spanien nicht regierte. Auch der Gouverneur war erstaunt.
Hin und wieder hatte er einen nichtspanischen Seemann
unter den Schiffmannschaften gesehen, aber noch nie war
5 ein reisender Deutscher nach Acapulco gekommen, und
als solchen stellte sich der Führer der kleinen Gruppe vor.
Mißtrauisch öffnete der Gouverneur die Pässe und sah sie
durch. Alexander von Humboldt hieß also dieser Preuße,
dessen unaussprechbaren Namen der Gouverneur nicht
10 verstanden hatte. Daß er fünf Fuß acht groß war, hell-
braunes Haar und graue Augen hatte, daß er 34 Jahre alt
war, das alles stimmte; [2] aber reiste er wirklich, „um Kenntnisse zu erwerben", wie der Paß sagte? Und dann dieser
„Bürger" Aimé Bonpland, ein Botaniker aus dem revolu-
15 tionären Frankreich und dieser Kreole Carlos Montúfar,
der Sohn eines Marquis aus Quito, Ecuador, was wollten
diese Leute in Mexiko? Lord Nelson und seine Flotte
blockierten die spanischen Häfen, ein schlimmerer Feind
als die Engländer bedrohte das spanische Kolonialreich [3]
20 von innen: der Geist der französischen Revolution, die
Unzufriedenheit der Kolonien. Und in solchen Zeiten zog
dieser Deutsche mit seinen Freunden durch die spanischen
Kolonien, „um Kenntnisse zu erwerben"! Der Gouverneur
öffnete nun den spanischen Paß und sah mit Erstaunen das
25 königliche Siegel. Der erste Staatssekretär hatte den Paß
unterzeichnet, und in dem Paß stand, Alexander von Humboldt habe das Recht, in allen Ländern der spanischen
Krone seine geodätischen [4] und astronomischen Instrumente zu gebrauchen, Naturprodukte zu sammeln, die
30 Höhe der Berge zu messen usw. Dieser Paß, der auch für
Humboldts Mitarbeiter den Schutz der Vizekönige [5] und
Gouverneure verlangte, beseitigte das Mißtrauen des

---

[2] das stimmte that was correct   [3] das Kolonialreich colonial empire
[4] (geodätisch geodetical)   [5] (der Vizekönig viceroy)

Gouverneurs. Sofort schrieb er seinen Namen und das Datum, 22. März 1803, auf die spanischen Pässe und lud die drei Fremden freundlich ein, sein Haus als das ihre zu betrachten.

Zu den Gästen des Hauses gehörte auch der Kapitän [5] der Fregatte Orúe, und als man den guten Chilewein trank, den er dem Gouverneur aus Peru mitgebracht hatte, konnte dieser seine Neugierde nicht länger zurückhalten. Er mußte wissen, was für ein Mann dieser Herr von Humboldt war, dieser Aristokrat und Untertan [6] des preußischen [10] Königs, der Tausende von Meilen gereist war, um Ströme zu messen, die weder ihm noch seinem König gehörten. Humboldt war an neugierige Fragen nach seiner Familie, seinem Leben in Deutschland und seinen Plänen gewöhnt. Als Gast von Vizekönigen und armen Missionaren hatte [15] er dieselben Fragen zu hören bekommen, die jetzt der Gouverneur stellte.

So erzählte er also der Gesellschaft im Hause seines Gastgebers in ausgezeichnetem Spanisch von seinem früh-verstorbenen [7] Vater, der unter Friedrich II. gedient, von [20] seiner Mutter, die für ihn eine hohe Stellung im Staats-dienst [8] erhofft hatte, von seinem Bruder Wilhelm, der als klassischer Philologe und Staatsmann einen Namen hatte und zur Zeit preußischer Gesandter [9] in Rom war. Daß Humboldt Kameralwissenschaft [10] studiert hatte, impo- [25] nierte dem Gouverneur, aber er verstand nicht, warum die-ser Deutsche als Sohn einer alten adligen Familie Naturwis-senschaften interessant genug fand, sie an der Universität Göttingen und unter Privatlehrern zu studieren. Als Hum-boldt aber von seinem Studium des Bergwesens [11] an der [30] Bergakademie [12] in Freiberg zu sprechen begann, hatte er

[6] (der **Untertan** subject)   [7] **frühverstorben** = der früh gestorben **war**
[8] der **Staatsdienst** civil service   [9] (der **Gesandte** ambassador)
[10] (die **Kameralwissenschaft** Finance)   [11] (das **Bergwesen** mining)
[12] (die **Bergakademie** school of mines)

die volle Sympathie seines Gastgebers gewonnen, dessen Heimatland an Bergwerken reich war. Ob er mit seinen Studien Erfolg gehabt hätte, wollte der Gouverneur wissen. Humboldt lächelte und erzählte von seiner Stellung als 5 Leiter der Bergwerke im Südwesten Preußens. „Und einen solchen Posten geben Sie auf, um hier bei uns in den Tropen Pflanzen zu sammeln und die Länge von Flüssen zu messen, die für niemand anders brauchbar sind als für Krokodile?"

10   Höflich wie immer erklärte Humboldt seine damals nicht nur spanischen Regierungsbeamten unverständliche Tätigkeit, wie er sie später den Lesern seines Reisewerkes erklärte. Die im folgenden zitierte Stelle, verrät, daß sie aus Gesprächen, wie dem eben beschriebenen, entstanden ist.

15 „Von früher Jugend auf lebte in mir der Wunsch, ferne von Europäern wenig besuchte Länder bereisen zu dürfen. In einem Lande aufgewachsen, das in keinem unmittelbaren Verkehr mit den Kolonien in beiden Indien steht, später in einem fern von der Meeresküste gelegenen, durch 20 starken Bergbau berühmten Gebirge lebend, fühlte ich den Trieb zur See und zu weiten Fahrten immer mächtiger in mir werden. Die Lust am Botanisieren, das Studium der Geologie, ein Ausflug nach Holland, England und Frankreich in Gesellschaft eines berühmten Mannes, Georg For-25 sters, dem das Glück geworden war, Kapitän Cook auf seiner zweiten Reise um die Welt zu begleiten, trugen dazu bei, den Reiseplänen, die ich schon mit achtzehn Jahren gehegt,[13] Gestalt und Ziel zu geben. Wenn es mich noch immer in die schönen Länder der heißen Zone zog, so war 30 es jetzt nicht mehr der Drang [14] nach einem aufregenden Wanderleben, es war der Trieb, eine wilde, großartige, an mannigfaltigen Naturprodukten reiche Natur zu sehen, die

[13] (gehegt hatte had entertained)   [14] der Drang impulse

Aussicht, Erfahrungen zu sammeln,[15] welche die Wissenschaften förderten. Ich hatte sechs Jahre Zeit, mich auf die Beobachtungen, die ich in der Neuen Welt anzustellen [16] gedachte, vorzubereiten, Europa zu bereisen und die Alpen zu untersuchen, deren Bau ich später mit dem der 5 Anden von Ecuador und Peru vergleichen konnte. Ich fand Gelegenheit, Messungen, die nach der strengsten Methode vorgenommen [17] worden waren, zu wiederholen, und lernte so selbständig die Irrtümer kennen, auf die ich gefaßt sein [18] mußte." 10

Auch in Acapulco war Humboldt auf Irrtümer gefaßt. Trotzdem dieser Hafen den Kartographen für andere pazifische Häfen als Ausgangspunkt diente, war man sich über die genaue geographische Lage dieses Ausgangspunktes nicht einig. 15

Der Gouverneur hätte wohl gerne mehr Gelegenheit gehabt, mit dem ehemaligen Direktor des fränkischen Bergbaus über dessen aufregende Erlebnisse zu sprechen, aber Humboldt ließ sich hier wie überall nicht von der Arbeit abhalten. 20

Tagelang wanderte er mit seinen Freunden und Helfern, Bonpland und Montúfar, an der Küste Acapulcos entlang, stieg auf die umgebenden Berge und machte Messungen, die es ihm später ermöglichten, seinem großen Werke über Mexiko eine geographisch genaue Karte des Hafens hinzu- 25 zufügen. In diesem Werke gibt Humboldt einen langen Bericht über die wirtschaftliche Bedeutung Acapulcos und lobt mit begeisterten Worten die wildromantische Schönheit dieses Ortes.

Heute ist Acapulco in erster Linie [19] ein weltberühmtes 30

---

[15] sammeln *here* to acquire [16] (an-stellen to make)
[17] vor-nehmen to undertake [18] gefaßt sein auf to be prepared for
[19] in erster Linie first of all

Seebad. In einer der vielen Reisebroschüren,[20] die zum Besuch dieses Ferienparadieses einladen, werden Humboldts lobende Worte auf spanisch und englisch zitiert. Die Hotelbesitzer nehmen offensichtlich an, daß Humboldts Name noch heute in Nord- und Südamerika bekannt ist, und sie haben recht.

Ein halbes Jahrhundert nach Humboldts Reise durch Mexiko, ein Jahr vor seinem Tode, wurde ihm vom Kriegssekretär der Vereinigten Staaten ein Album geschickt, das die kartographischen Abbildungen der nach Humboldt benannten Flüsse, Berge usw. enthielt. In dem Briefe, der das Geschenk begleitete, stand: „Nie werden wir (die Bürger der Vereinigten Staaten) vergessen, was Sie nicht nur für uns, sondern für die ganze Welt getan haben. Der Name Humboldt ist bei uns in Amerika bekannt von den Küsten des Atlantischen bis zu den Wassern des Stillen Ozeans. Durch seinen Gebrauch in der Geographie unseres Landes haben wir uns selbst geehrt, und die Nachwelt wird ihn überall finden zusammen mit den Namen Washington, Jefferson und Franklin."

Das war 1858. Heute noch tragen Flüsse und Berge, Wälder, Städte und Distrikte [21] in den Vereinigten Staaten Humboldts Namen. Und auch in Mexiko und Südamerika heißen Städte, Straßen, Tiere und Pflanzen, und sogar eine Meeresströmung [22] nach ihm.

Nie wieder ist ein Wissenschaftler, Denker, Dichter, Staatsmann oder General so von der ganzen abendländischen Welt geehrt worden wie Alexander von Humboldt. Womit hat sich dieser Naturforscher die dankbare Erinnerung der Nachwelt verdient?

Es ist unmöglich, Humboldts Welterfolg mit ein paar Worten zu beschreiben, denn es handelt sich bei ihm nicht

---

[20] die Reisebroschüre travel folder   [21] (der Distrikt county)
[22] die Meeresströmung ocean current

nur um diese oder jene wissenschaftliche Leistung, sondern auch um seinen rein menschlichen Wert, den alle fühlten, die mit ihm in Berührung kamen. Er gehört zu den wenigen berühmten Männern, die durch ihr Leben und Wirken [23] den Mitmenschen vor Augen halten,[24] welche Möglich- 5 keiten die menschliche Existenz in sich hat. Der deutsche Dichter Heine schrieb auf dem Totenbett einen letzten Gruß an seinen Freund Humboldt: „Dem großen Alexander—der sterbende Heine."

Versucht man nun diese Größe im einzelnen zu analy- 10 sieren, so lassen sich gewisse Leistungen Humboldts sowie gewisse Seiten seiner Begabung und seines Charakters herausheben, wobei man aber bedenken muß, daß der Kern [25] einer solchen Persönlichkeit den Mitmenschen ein Rätsel bleibt.   15

Humboldts erstaunliche wissenschaftliche Leistungen wurden zum größten Teil durch seine Reise nach Südamerika ermöglicht. Diese Forschungsreise war das große Ereignis seines Lebens, und als solche eine ganz einzigartige Tat, die seinen Weltruhm begründete. Die von ihm be- 20 reisten Länder lagen alle im spanischen Kolonialreich, einem ungeheuren Gebiet, das sich von der Nordspitze [26] Kaliforniens über die Südspitze Chiles hinaus erstreckte. Drückende Monopole waren daran schuld, daß die Kolonien wirtschaftlich unterentwickelt waren. Der Verkehr mit 25 dem Mutterlande beschränkte sich [27] um die Wende des 18. Jahrhunderts auf einige Schiffe, die alle halbe Jahre die auszuführenden [28] und einzuführenden Waren sowie die Ein- und Auswanderer transportierten. Ausländern war der Besuch der überseeischen Besitzungen Spaniens ver- 30 boten, und Kolonialspanier durften keinerlei geschäftliche

---

[23] das **Wirken** activity   [24] vor **Augen halten** to remind
[25] der **Kern** core, essence   [26] die **Spitze** point
[27] sich **beschränken auf** to be limited to   [28] **aus-führen** to export

Beziehungen zum Ausland haben. Übertrat [29] ein Kolonialspanier dies Gesetz, so wurde sein Vermögen konfisziert,
und manchmal wurde er sogar mit dem Tode bestraft. Der
wirtschaftlichen Unterentwicklung entsprach der geringe
5 Umfang [30] wissenschaftlicher Forschungsarbeit hinsichtlich [31] der Geographie, Fauna, Flora und Völkerkunde
dieses riesigen Kolonialreiches.

In den drei Jahrhunderten spanischer Herrschaft, die vor
Humboldts Reise vergangen waren, hatten nur sechs wis-
10 senschaftliche Expeditionen ins Innere des spanischen
Südamerikas stattgefunden, die sich außerdem fast nur mit
der Landvermessung beschäftigten. 64 Jahre vor Humboldt
war z.B. der Franzose La Condamine nach Ecuador gereist,
um dort einen Bogen des Meridians zu messen. La Conda-
15 mine war der erste gewesen, der den Amazonenstrom hin-
abgefahren war, aber alle seine Reisen, die er für die
französische Akademie der Wissenschaften und ganz gewiß
nicht für politische Zwecke unternommen hatte, wurden
von den Spaniern scharf überwacht, und außerdem hatten
20 er und seine Reisegenossen von dem Mißtrauen der Kolonialspanier schwer zu leiden gehabt.

Humboldt hatte als erster Ausländer vollkommene Freiheit, spanische Gebiete wissenschaftlich zu erforschen.
Dieser Sieg über das Mißtrauen spanischer Regierungs-
25 beamter und des spanischen Königs ist zunächst Humboldts Persönlichkeit zuzuschreiben. Der Idealismus seines
Denkens und Fühlens, seine Begeisterung und seine fast
kindliche Offenherzigkeit gewannen ihm überall Achtung,
Verehrung, und nicht selten die Liebe seiner Mitmenschen.
30 Der Zar von Rußland, der König von Preußen, der König
von Spanien, die Vizekönige und Gouverneure des Kolonialreiches, die Missionare, ja sogar die einfachen Indianer,

---

[29] übertreten to violate   [30] der geringe Umfang the small extent
[31] hinsichtlich with regard to

die seine Kanus auf den riesigen Strömen Südamerikas ruderten, sie alle wollten diesem seltsamen Manne helfen, wenn sie auch—was meistens der Fall war—seine Zwecke nicht verstanden.

Trotz all dieser günstigen Umstände [32] hätte seine Reise 5 aber doch leicht ein tragisches Ende nehmen können. Von der Expedition des Spaniers Solano ins Gebiet des auch von Humboldt besuchten oberen Orinoco waren von 325 Expeditionsmitgliedern nur 13 zurückgekehrt. Das war rund [33] fünfzig Jahre vor Humboldts Expedition gesche- 10 hen, und Humboldts Expedition bestand nur aus zwei Europäern, ihm selbst und dem Franzosen Bonpland, und etwa zwei Dutzend Indianern, die als Träger oder Ruderer für die beiden Forscher arbeiteten. Humboldt war nicht e i n m a l ernstlich krank auf seiner fünfjährigen Reise, die 15 ihn durch tropische Wildnisse voll von tödlichen Gefahren führte. Nicht einer der Leute, die für ihn arbeiteten, starb auf diesen Reisen. Es sei hier aber gleich hinzugefügt, daß er für den einfachsten Indianer, der ihm diente, genau so gut sorgte, wie er als Bergwerksdirektor für die Sicherheit 20 und die körperliche und geistige Gesundheit [34] der Bergleute gesorgt hatte. Humboldts Briefe zeigen, daß er ernsthaft daran zweifelte, mit seinem Freunde Bonpland lebendig von dem südamerikanischen Abenteuer zurückzukehren, und die beiden waren auch oft in Gefahr, dem 25 Fieber zu erliegen, von Krokodilen oder Jaguaren gefressen zu werden oder bei ihren vielen Bergbesteigungen zu verunglücken. Mitwelt [35] und Nachwelt haben sich oft über Humboldts außerordentliches Glück gewundert, das ihn nicht nur gesund zurückkehren ließ, sondern während 30 seines ganzen tätigen Lebens ihm treu blieb und selbst

---

[32] der Umstand circumstance   [33] rund approximately
[34] geistige Gesundheit mental health
[35] die Mitwelt his contemporaries

Niederlagen [36] in Siege verwandelte. Wenn je bei einem
großen Mann die so seltene Verbindung von Glück und
Verdienst bestand, dann bei Humboldt.

Seine Reise war in jeder Hinsicht [37] einzigartig, be-
5 sonders aber deshalb, weil es die erste Entdeckungsfahrt
war, die ein Privatmann aus reiner Liebe zur Wissenschaft
unternahm. Entdecker früherer Jahrhunderte waren aus
Macht- oder Goldgier oder aus religiösem Fanatismus in
ferne Weltteile eingedrungen, oder das wissenschaftliche
10 Interesse galt [38] fast ausschließlich der Geodäsie.

Mit Humboldt beginnt eine neue Art von Entdeckungs-
fahrten. Es ist der Zweck dieser Reisen, die Geheimnisse
der belebten und unbelebten Natur zu erforschen und so
den Gesichtskreis der Menschheit zu erweitern, nicht die
15 Macht oder den Reichtum eines Landes zu vergrößern.
Außerdem reiste Humboldt ganz auf eigene Kosten, ohne
die finanzielle Unterstützung irgendeiner Regierung an-
zunehmen. Nur so konnte er sich die Unabhängigkeit
sichern, die er für seine Forschungen nötig hatte. Aber
20 auch in diesem Punkt hat ihm sein Glück geholfen. Zu
Anfang wollte er sich verschiedenen Reisenden anschlie-
ßen, die ihn aufgefordert hatten, sie wenigstens eine
Weile zu begleiten. Er hatte auch mit Freuden die Einladung der französischen Regierung angenommen, den
25 Kapitän Baudin auf einer Reise um die Welt zu begleiten.
Aus all diesen Plänen wurde aber nichts wegen der Kriegsunruhen in Europa, und so beschloß Humboldt, sein Glück
in Spanien zu versuchen und von einem spanischen Hafen
aus nach Amerika zu fahren. Als ob das Schicksal diese
30 Reise und keine andere für ihn gewollt hätte, verschwan-
den auf einmal alle Schwierigkeiten, und alles, was Hum-

---

[36] die **Niederlage** defeat   [37] die **Hinsicht** respect
[38] **gelten** to be directed to

boldt jetzt unternahm, gelang. Nach einer persönlichen Audienz bei Karl IV. erhielt er einen Paß, der ihm und Bonpland eine Bewegungsfreiheit in den Kolonien gab, wie sie noch kein Europäer vor ihm genossen hatte. Selbst das Wetter war auf seiner Seite. Die Fregatte Pizarro, auf 5 der sich die beiden Freunde in Coruña eingeschifft hatten, schlüpfte gegen alle Erwartung durch die Blockade, als ein Sturm die englischen Kriegsschiffe zwang, sich von der Küste zu entfernen, und ein dichter Nebel die Manöver der Pizarro verbarg. 10

Die Reise durch Spanien war an sich schon eine Forschungsreise von hohem wissenschaftlichem Wert gewesen. Auf dem ganzen Wege durch die Halbinsel, den die Freunde meist zu Fuß zurücklegten,[39] beschäftigten sie sich mit Pflanzensammeln und Humboldt besonders mit 15 geognostischen, meteorologischen und geodätischen Untersuchungen. All dies war wertvolle wissenschaftliche Arbeit, denn eine Geomorphologie Spaniens gab es noch nicht. Hier zeigte sich auch schon, daß er ein wissenschaftlicher Midas war, unter dessen Händen sich das Gewöhn- 20 liche [40] in das Gold des wissenschaftlich Wichtigen verwandelte. Viele Reisende vor ihm hatten Höhenmessungen unternommen, aber Humboldt tat es systematisch. Auf jedem Haltepunkt der Reise maß er die Höhe über dem Meeresspiegel. Indem er dann diese Punkte verband, 25 stellte er das Höhenprofil Spaniens dar. So bereicherte er die geographische Wissenschaft mit der heute in jedem Lehrbuch gebrauchten kartographischen Darstellung der Höhenlinie.

Ehe der Sturm kam, der die englischen Kriegsschiffe 30 vertrieb, hatte Humboldt Zeit, von Coruña aus letzte Briefe an seine Freunde zu schreiben. Einige Stellen seien hier

[39] (zurück-legen to cover)   [40] das Gewöhnliche the ordinary things

zitiert, da sie ein Licht auf Humboldt den Menschen und Naturforscher werfen: „Mir schwindelt der Kopf [41] vor Freude! Welchen Schatz von Beobachtungen werde ich nun zu meinem Werk über die Konstruktion des Erdkörpers
5 sammeln können! Der Mensch muß das Gute und Große wollen; das Übrige hängt vom Schicksal ab!—Ich werde Pflanzen und Fossilien sammeln, mit vortrefflichen Instrumenten astronomische Beobachtungen machen können; ich werde die· Luft chemisch zerlegen . . . Das alles ist
10 aber nicht der Hauptzweck meiner Reise. Auf das Zusammenwirken der Kräfte, den Einfluß der unbelebten Schöpfung auf die belebte Tier- und Pflanzenwelt, auf diese Harmonie sollen immer meine Augen gerichtet sein."

Die Pizarro hatte das offene Meer erreicht, und die
15 Küste Europas versank vor den Blicken der beiden jungen Naturforscher, die nun endlich ihre lange, abenteuerreiche Reise nach Übersee begonnen hatten. Humboldt beschreibt diesen Augenblick in seinem großen Reisewerk: „Wir steuerten gegen Nordwest, um nicht den englischen
20 Fregatten zu begegnen. Gegen neun Uhr erblickten wir das Licht in einer Fischerhütte, das letzte, was wir von der Küste von Europa sahen. Mit der zunehmenden Entfernung verschmolz [42] der schwache Schimmer mit dem Licht der Sterne, die am Horizont aufgingen, und unwillkürlich
25 blieben unsere Blicke daran hängen.[43] Solche Eindrücke vergißt einer nie, der in einem Alter, wo die Empfindung noch ihre volle Tiefe und Kraft besitzt, eine weite Seefahrt angetreten [44] hat."

Die dichterisch philosophische Erlebnisweise, die in
30 diesen Zeilen zum Ausdruck kommt, wußte Humboldt sehr

[41] (Mir schwindelt der Kopf I feel dizzy)
[42] (verschmelzen to merge)
[43] (blieben daran hängen remain fixed to it)
[44] an-treten to set out on

wohl mit dem nüchternen [45] Sinn für Tatsachen zu vereinigen, ohne den wir uns heute keinen Naturwissenschaftler vorstellen können. Deshalb war dieser Sohn der klassisch-romantischen deutschen Kulturepoche ein Gegner aller rein spekulativen Naturphilosophie, wie sie z.B. die Philosophen Schelling und Hegel vertraten.

Der Hang [46] zu dichterisch philosophischem Erleben von Natur und Geschichte findet sich bei so vielen großen Deutschen, selbst wenn ihr Gebiet die exakten Naturwissenschaften sind, daß man ihn, trotzdem solche Verallgemeinerungen immer etwas fraglich sind, typisch deutsch nennen sollte. Auf jeden Fall haben Franzosen und Engländer, Spanier und Amerikaner diesen Charakterzug Humboldts als deutsch empfunden. Humboldt selber machte einmal die typisch deutsche Feststellung, „dass die schaffende Phantasie des Dichters sich im Weltentdecker (dies bezieht sich auf Kolumbus), wie in jedem großen menschlichen Charakter, ausspricht.[47]

An Bord des Schiffes war Humboldt rastlos tätig. Da er nie seekrank wurde, war ihm eine Seereise immer eine willkommene Gelegenheit zu ungestörter Arbeit. Er beobachtete die Meeresströmungen, untersuchte mit Bonpland aufgefischte Seepflanzen und Seetiere, er machte wichtige Festellungen über Temperaturveränderungen des Wassers und der Luft, er analysierte Meerwasser unter dem Mikroskop, um die bis dahin gegebenen Erklärungen des Meeresleuchtens [48] zu prüfen usw.

Der Höhepunkt der Seereise war der Besuch der Kanarischen Insel Teneriffa, deren riesigen Vulkan, den Pik, Humboldt und Bonpland bestiegen. Humboldt beschreibt die weite Aussicht über Land und Meer, und wie so oft

---

[45] **nüchtern** clear-headed   [46] der **Hang** inclination
[47] sich **aus-sprechen** to be expressed
[48] (das **Meeresleuchten** phosphorescence of the sea)

bei ihm vereinigen sich in e i n e m Erlebnis die Freude an
der Natur mit der Erkenntnis [49] der Natur. Vom Krater-
rand [50] des Riesenvulkans sah Humboldt die Vegetationsgürtel,[51] die den Berg umgaben, und ein Gesetz der von
5 ihm geschaffenen Pflanzengeographie offenbarte [52] sich
ihm. Er erkannte, dass die Vegetationsgürtel eines in den
Tropen gelegenen Berges vom Fuß des Berges bis dahin,
wo der ewige Schnee beginnt, den Vegetationszonen der
Erde entsprechen, d.h. den vom Äquator bis zu den Polen
10 hin klimatisch unterscheidbaren Pflanzengruppen.

Der Ausbruch einer gefährlichen Fieberepidemie an
Bord änderte Humboldts Reisepläne. Er hatte erst nach
Kuba fahren wollen, nun ging er mit Bonpland in Cumaná,
einer Hafenstadt Venezuelas, an Land.

15 Wieder hatte ihm das Schicksal ein scheinbares Hindernis in den Weg gelegt, das ihn zwang, eine bessere Wahl
zu treffen.[53] Denn nun blieb er anderthalb Jahre in Venezuela, anderthalb Jahre reich an Gefahren und Mühen,
aber auch an wissenschaftlichen Erfolgen.

20 Venezuela war damals noch fast unerforschtes Gebiet,
und man hört die Entdeckerfreude der beiden Forscher
aus einem Brief, den Humboldt gleich nach der Ankunft
an seinen Bruder Wilhelm schrieb, der damals die Pyre-
näen bereiste, um die Sprache der Basken zu studieren.
25 „Wir sind hier in dem göttlichsten und vollsten Lande.
Was für wunderbare Pflanzen! Hier gibt es Zitteraale,[54]
Tiger (Jaguare), Armadille, Affen, Papageien,[55] und viele
echte, halbwilde Indianer, eine sehr schöne und interessante Menschenrasse.—Wie bunt das Gefieder der Vögel
30 und die Farben der Fische sind! Sogar die Krebse [56] sind
himmelblau und golden gefärbt.—Wie die Narren [57] laufen

---

[49] die **Erkenntnis** scientific understanding   [50] (der **Rand** rim)
[51] (der **Gürtel** belt)   [52] sich **offenbaren** to reveal itself
[53] eine **Wahl** treffen to make a choice   [54] (der **Zitteraal** electric eel)
[55] der **Papagei** parrot   [56] (der **Krebs** crab)   [57] der **Narr** fool

wir bis jetzt umher, in den ersten drei Tagen konnten wir nichts bestimmen,[58] da man immer einen Gegenstand wegwirft, um einen anderen zu ergreifen. Bonpland versichert, daß er von Sinnen kommen [59] werde, wenn die Wunder nicht bald aufhören."

Die Wunder hörten nicht auf, aber bald hatten sich die beiden jungen Forscher genügend an sie gewöhnt, um sie auf ihren langen gefahrvollen Expeditionen wissenschaftlich zu analysieren. Systematisch durchreisten sie die drei geographischen Gebiete Venezuelas, das Küstengebiet, die Llanos oder Savannen und schließlich das Stromgebiet des Orinoco.

Während Bonpland hauptsächlich Pflanzen und Insekten sammelte, wobei ihm Humboldt wie immer mit viel Energie und Geschick half, beschäftigte sich Humboldt hauptsächlich mit astronomischen Messungen, Ortsbestimmungen und geognostischen Untersuchungen, doch fand er immer noch genug Zeit, Studien über die Indianersprachen anzustellen,[60] sowie deren Bräuche und Geschichte zu erforschen. Auf langen Ausflügen entdeckte er neue Tierarten—einige derselben wurden später nach ihm benannt—während der Exkursion ins Orinocogebiet sezierte er Krokodile, über deren Anatomie, Unterarten [61] und Lebensweise er den Zoologen viel Neues zu sagen hatte.

Sein Hauptzweck in Venezuela war aber die Erforschung des oberen Orinoco, um die von La Condamine und anderen behauptete, dann aber wieder oft geleugnete [62] Verbindung des Orinoco mit dem Amazonenstrom endgültig zu beweisen und das höchst komplexe hydrographische Netz zwischen Orinoco und Amazonenstrom kartogra-

---

[58] (bestimmen to specify)   [59] von **Sinnen kommen** to lose one's mind
[60] **an-stellen** to make   [61] (die **Unterart** subvariety)
[62] **leugnen** to disclaim

phisch so genau wie möglich festzustellen. Zu diesem Zweck
fuhr er den Orinoco hinauf, bis er zu der großen Gabelung
des Flusses kam, wo der Casiquiare vom Orinoco ab-
weicht [63] und sich mit dem Rio Negro verbindet, dem
5 großen Nebenstrom des Amazonas. Die Reise auf dem
Casiquiare nennt Humboldt wegen der Insektenplage, der
schlechten Nahrung und der engen, nassen Kanus den
schwierigsten Teil der zurückgelegten Strecke. Alles in
allem war er auf dem Orinoco und seinen Nebenflüssen in
10 75 Tagen 2780 km gereist und hatte viele Messungen gemacht, in Gebieten, die vorher kaum je ein Mensch betreten hatte. Und diese Messungen waren trotz Moskitos,
tropischem Regen, Hunger und Erschöpfung so genau, als
ob er sie im Park seines väterlichen Schlosses Tegel bei
15 Berlin gemacht hätte. Moderne Messungen haben das immer wieder bewiesen. So weicht z.B. die von Humboldt
berechnete Länge des Orinoco von der mit modernen Instrumenten festgestellten nur um etwa drei Kilometer ab.
Waren diese kartographischen Arbeiten Humboldts von
20 großer Wichtigkeit für die Geographie, so interessierten
sich Humboldts Zeitgenossen für andere Dinge, von denen
seine Reisewerke berichten. Von all den Wundern Venezuelas war für sie die größte Sensation der Zitteraal, dies
sonderbare Tier, das auch dem modernen Leser noch als
25 ein höchst interessantes Wunder der Tropenwelt erscheint.
In den „Ansichten [64] der Natur", einem Werk, das dem
Verfasser selber von allen seinen Werken das liebste war,
beschreibt Humboldt den Fang dieser seltsamen Tiere:
„Man jagt Maultiere und Pferde in einen Sumpf, welchen
30 die Indianer eng umzingeln, [65] bis der ungewohnte Lärm
die mutigen Fische zum Angriff reizt. [66] Schlangenartig

---

[63] (ab-weichen to deflect)   [64] die Ansicht view
[65] (umzingeln to surround)   [66] reizen to provoke

sieht man sie auf dem Wasser schwimmen und sich unter den Bauch der Pferde drängen.[67] Von diesen erliegen viele der Stärke unsichtbarer elektrischer Schläge,[68] andere, fliehen das tobende Gewitter. Aber die Indianer, mit langen Bambusstäben bewaffnet, treiben sie in die Mitte des [5] Sumpfes zurück.

Allmählich läßt die Wut des ungleichen Kampfes nach.[69] Wie entladene[70] Wolken zerstreuen sich die ermüdeten Fische. Sie brauchen lange Ruhe und viel Nahrung, um zu sammeln,[71] was sie an galvanischer Kraft verschwendet[72] [10] haben. Schwächer und schwächer werden nun allmählich ihre Schläge. Sie nahen sich dem Ufer, wo sie durch Harpunen verwundet und mit trockenem, nicht leitendem[73] Holz auf die Steppe gezogen werden."

Die exotische Schönheit tropischer Landschaften, wie [15] sie Humboldt in Venezuela kennengelernt hatte, war für die Deutschen etwas ganz Neues, und der Forscher gab sich deshalb die größte Mühe,[74] diese neuen Natureindrücke seinen Landsleuten zu vermitteln. Dabei hatte er sich eine dreifache Aufgabe gesetzt. Er wollte das Bild der Land- [20] schaft, ihre typischen Geräusche aber auch das Erlebnis dieser Landschaft, den seelischen Eindruck darstellen, den sie auf ihn machte.

Diese schwierige Aufgabe hat er in seinem Werk, „Ansichten der Natur" meisterhaft gelöst, trotzdem es nicht [25] an Kritikern gefehlt hat, die Humboldts Naturbeschreibungen mit denen Goethes in der „Italienischen Reise" und den „Briefen aus der Schweiz" zum Nachteil Humboldts verglichen. Muß man auch zugeben, daß Humboldt nicht zu den größten Meistern der deutschen Prosa gehört, [30]

---

[67] sich drängen to crowd   [68] der **Schlag** shock
[69] nach-lassen to lessen   [70] **entladen** to discharge
[71] (**sammeln** accumulate)   [72] **verschwenden** to waste, dissipate
[73] **leitend** conducting   [74] sich **Mühe geben** to take pains

so ist er doch ein großer Schriftsteller gewesen, der neue
Stoffmassen mit Geschick und manchmal mit der Kraft
des Dichters in die Sprache einzuführen wußte. Die Kom-
position der „Ansichten" spiegelt Humboldts Doppelnatur
5 wider. Jeder Naturskizze, die man stellenweise [75] Prosage-
dichte nennen könnte, folgt ein gewaltiger wissenschaftlicher Apparat, der die Anmerkungen zu der Skizze bringt.
Für die erste Skizze z.B. ist der wissenschaftliche Kom-
mentar zehnmal so lang wie die Skizze selbst. Humboldt
10 mußte vieles mit Worten ausdrücken, was der moderne
Naturforscher mit dem Tonfilm darstellt, aber immer findet
sich in seinen Schilderungen die Vereinigung von Bild,
Ton und seelischem Gehalt, und diese Dreiheit [76] hebt
seine Schilderungen auf eine künstlerische Ebene, die wis-
15 senschaftliche Tonfilme nur selten erreichen, oft wohl auch
gar nicht erreichen wollen.

Das folgende Beispiel aus den „Ansichten" wird das
oben Gesagte am besten klar machen, wenn sich der Leser
vorstellt, er sehe einen Tonfilm. „Tausendjährige Wälder,
20 ein undurchdringliches Dickicht bedecken das feuchte
Gebiet zwischem dem Orinoco und dem Amazonenstrom.
Mächtige bleifarbige [77] Granitmassen verengen das Bett
der schäumenden Flüsse. Berge und Wälder hallen wider [78]
von dem Donner der stürzenden Wasser, von dem Ge-
25 brülle der Jaguars, von dem dumpfen, regenverkünden-
den [79] Geheule der bärtigen Affen.

Wo der seichte [80] Strom eine Sandbank übrig läßt, da
liegen mit offenem Rachen, unbeweglich wie Felsstücke
hingestreckt, oft bedeckt mit Vögeln, die ungeschlachten [81]
30 Körper der Krokodile."

Dieses kurze Zitat hat im Original drei Anmerkungen zu

---

[75] stellenweise in parts   [76] (die **Dreiheit** triad)
[77] (bleifarbig lead-colored)   [78] wider-hallen to re-echo
[79] regenverkündend announcing rain   [80] seicht shallow
[81] (ungeschlacht clumsy)

„bleifarbige Felsen", „regenverkündendes Geheul" und „mit Vögeln bedeckt". Solche Anmerkungen Humboldts zeigen immer aufs neue die großen Kenntnisse, die dieser Gelehrte auf fast allen Gebieten der Wissenschaften besaß und die bis ins kleinste Detail gehende Gründlichkeit. Die 5 Anmerkungen erinnern uns dauernd, daß die poetisch geschriebenen Skizzen, die sich manchmal wie reine Dichtungen lesen, überall durch das solideste Tatsachenwissen gestützt [82] sind. Nachdem z.B. Humboldt, der dichterisch fühlende Ästhet, die Tierstimmen im Urwald genossen hat, 10 macht Humboldt, der Wissenschaftler, eingehende anatomische Studien, um die physiologisch-anatomischen Ursachen dieser wildromantischen Naturlaute festzustellen. Die Anmerkung über „das regenverkündende Geheul" schließt mit dem Hinweis: [83] Über die Stimmsäcke [84] und 15 den knöchernen Stimmkasten [85] dieser Tiere s.[86] meine anatomische Abhandlung im ersten Teil meines *Recueil d'Observations de Zoologie* (Sammlung zoologischer Beobachtungen) Vol. I, p. 18.

Diese Sammlung besteht aus zwei Bänden seines noch 20 zu besprechenden dreißigbändigen Reisewerkes. Der erste Teil, auf den er verweist, enthält Humboldts Untersuchung „Von dem Zungenbein [87] und dem Kehlkopf [88] der Vögel, der Affen und des Krokodils".

In einem langen Brief an seinen Freund Willdenow, 25 einen deutschen Botaniker, dessen Sammlungen exotischer Pflanzen wie Georg Forsters Reisebeschreibungen Humboldts Sehnsucht nach den Tropen erweckt hatten, schreibt er am Ende seiner Reise durch Venezuela von den Gefahren, Anstrengungen und Freuden dieser Reise. „Vier 30 Monate hindurch schliefen wir in Wäldern, umgeben von

---

[82] (stützen to support)   [83] der **Hinweis** reference
[84] (der **Stimmsack** resonator)   [85] (der **Stimmkasten** voice box)
[86] s. = siehe   [87] (das **Zungenbein** tongue-bone, hyoid bone)
[88] (der **Kehlkopf** larynx)

Krokodilen, Boas und Tigern (Jaguaren), die hier selbst
Kanus anfallen, nichts genießend [89] als Reis, Ameisen,
Manioc (Tapiokapflanze), Bananen, Orinocowasser und
manchmal Affen. Ein Gebiet von 8 000 Quadratmeilen, in
5 denen keine Indianer, sondern nur Affen und Schlangen
anzutreffen sind, haben wir, an Händen und Gesicht von
Moskitostichen geschwollen, durchreist. Die Tropenwelt
ist mein Element, und ich bin nie so ununterbrochen
gesund gewesen als in den letzten zwei Jahren. Ich arbeite
10 sehr viel, schlafe wenig, bin oft bei astronomischen Beobachtungen 4–5 Stunden lang ohne Hut der Sonne ausgesetzt. Ich habe mich in Städten aufgehalten, wo das gelbe
Fieber wütete, und nie hatte ich auch nur Kopfweh. Meine
Unabhängigkeit wird mir mit jedem Tage teurer. Ein
15 Menschenleben, begonnen wie das meinige, ist zum Handeln bestimmt,[90] und sollte ich untergehen, so wissen die,
welche meinem Herzen so nahe sind wie Du, daß ich mich
nicht gemeinen Zwecken aufgeopfert habe.[91]

Und Du, mein Guter, wie führst Du im häuslich stillen
20 Glück Dein arbeitsames Leben fort? Wie glücklich bist Du,
diese undurchdringlichen Wälder am Rio Negro, diese Pal-
menwelt n i c h t zu sehen. Es würde Dir unmöglich sein,
Dich hinterher an einen Tannenwald zu gewöhnen. Nur
hier, in dem tropischen Teile von Südamerika, ist die Welt
25 recht eigentlich grün."

Von Venezuela fuhr Humboldt mit seinem Freunde
nach Kuba, um hier außer seinen naturwissenschaftlichen
Studien auch wirtschaftliche Untersuchungen eines Tro-
penlandes im Kulturzustand zu unternehmen.

30   Die Nachricht, daß die französische Regierung den Kapitän Baudin nun doch auf eine Weltreise geschickt hätte,
brachte Humboldt wieder nach Südamerika zurück, denn

---

[89] **genießend** eating and drinking   [90] **bestimmt** destined
[91] sich **auf-opfern** to sacrifice oneself

den Zeitungsberichten nach [92] war Baudin auf dem Wege
nach Kap Horn, und Humboldt wollte ihn in einem Hafen
Perus oder Ecuadors treffen. Von Cartagena in Columbien
fuhr er den Magdalenenstrom aufwärts und wanderte dann
in anstregenden Bergreisen nach Quito in Ecuador. Dort 5
erfuhr er, daß die Zeitungsberichte falsch gewesen waren,
daß Baudin seinen Weg ums Kap der guten Hoffnung
genommen habe. Humboldt war zwar anfangs sehr enttäuscht, doch an derartige Enttäuschungen gewöhnt,
änderte er seine Reisepläne. Er sollte das nicht bereuen, 10
denn die Vulkane Ecuadors, die Bergwelt der Anden, das
Studium der alten Inka-Kultur entschädigten ihn reichlich
für eine Weltreise, bei der er ja doch nie Zeit gehabt hätte,
das Innere der Länder zu besuchen, deren Häfen das Schiff
anlief.[93]   15

Quito, die Hauptstadt Ecuadors, wurde Humboldts
Hauptquartier. Fast acht Monate brachte er in der Stadt
selbst und in dem Tale Quitos mit wissenschaftlichen Unternehmungen aller Art zu, denn dies war der ideale Platz,
Material für seine vielseitigen Studien zu sammeln. Herder, 20
der Freund und Lehrer Goethes, hatte ein Werk geschrieben, das durch den Versuch, Natur und Geschichte als
einen einheitlichen Organismus zu betrachten, an Humboldts Denkweise erinnert. In diesem Werk, „Ideen zur
Philosophie der Geschichte der Menschheit" sagt Herder 25
von dem „silber- und greuelreichen [94] Peru": „In keiner
Gegend der Welt hätte die Naturlehre hinsichtlich der
Geschichte und Entstehung der Erde so viel zu lernen als
hier; aber ach, warum sind die Spanier die Besitzer dieser
ausgezeichnetsten Gegend?"   30

Trotz der Spanier lernte Humboldt sehr viel im benachbarten Ecuador, und was er lernte, gehörte zum größten

[92] **den Zeitungsberichten nach** according to the newspaper reports
[93] **an-laufen** to call at   [94] **greuelreich** rich in horrors

Teil in das weite Gebiet der Geophysik, die er, wie kein
anderer Forscher vor ihm, bereichert hat. Mit Geophysik,
einem Ausdruck, der erst nach Humboldts Zeit eingeführt
wurde, wird das Gebiet der Geographie bezeichnet, das
5 alle physikalischen Vorgänge [95] unter, auf und über der
Erde umfasst,[96] wie Klima, Meeresströmungen, Winde,
magnetische Erscheinungen, Temperatur, Luftdruck usw.

Das besondere Interesse Humboldts für Ecuador galt [97]
aber den Vulkanen in der näheren und weiteren Umgebung
10 von Quito. Er bestieg viele derselben unter großen Gefahren und machte seine geologischen Beobachtungen und
chemischen Analysen der aufsteigenden Gase. Dort kam
ihm auch die Erkenntnis von der reihenweisen [98] Anordnung der Vulkane, die wahrscheinlich am Rande unterir-
15 discher Spalten [99] stehen. Was er beim Studium der amerikanischen Vulkane erkannt hatte, verglich er später mit
seinen Beobachtungen beim Besteigen des Vesuv und
wurde eine internationale Autorität auf dem Spezialgebiet
vulkanischer Erscheinungen.

20   Mit Carlos Montúfar, dem jungen Sohn eines revolu-
tionär denkenden Marquis in Quito, dessen Gast Humboldt
war, und mit Bonpland versuchte er den Chimborazo, einen
erloschenen Vulkan, den, wie er glaubte, höchsten Berg
der Welt, zu besteigen. Humboldt war ein außerordentlich
25 guter Fußgänger und Bergsteiger; oft ermüdete er selbst
die Eingeborenen, die mit ihm nicht Schritt halten [1] konnten. Auch bei der Besteigung des Chimborazo gingen die
Eingeborenen nur bis auf eine bestimmte Höhe mit. Dann
kehrten sie trotz Bitten und Drohungen um, denn sie
30 litten an Atembeschwerden.[2] Nur ein Mestize,[3] der das

---

[95] der **Vorgang** process   [96] **umfassen** to embrace
[97] **galt** was directed to   [98] **reihenweise** in rows *or* series
[99] (die **Spalte** fissure)   [1] **Schritt halten** to keep pace
[2] (**Atembeschwerden** shortness of breath)
[3] (der **Mestize** mestizo, half-breed)

Barometer trug, folgte den drei tapferen Männern. Der Weg wurde immer gefährlicher, denn bald mußten sie auf Händen und Füßen auf einem oft nur zwanzig Zentimeter breiten Felskamm [4] in der Richtung des Gipfels weiter- klettern. 5
Der junge Montúfar war am Ende seiner Kräfte und blutete aus Mund und Nase. Auch der kräftige Bonpland und der Mestize konnten kaum noch weiter. Humboldt kletterte den anderen voran, als er plötzlich vor sich einen Abgrund [5] sah, der einen weiteren Aufstieg zu dem unge- 10 fähr 400 m höheren Gipfel unmöglich machte. Sie mußten umkehren, aber erst maß Humboldt die von ihm erreichte Höhe und schrieb in sein Reisetagebuch unter das Datum 23. Juni 1802 18 096 Pariser Fuß (5 917 m). Diese Höhe hatte vor ihm noch kein Mensch erreicht. 15
Humboldts Rekord ist auch in unserem sportlichen Zeitalter, das die Besiegung des 8 880 m hohen Mount Everest erlebt hat, eine erstaunliche Leistung, denn der kletternde Naturforscher hatte weder eine Sauerstoffmaske noch Bergschuhe. Auch war Bergsteigen als Sport unbe- 20 kannt, und infolgedessen konnte er nicht von Erfahrungen anderer lernen. Auf dem Abstieg steckten die drei Freunde kleine Steine in die Tasche, denn sie sahen voraus, daß man sie in Europa oft um „ein Stückchen vom Chimborazo" bitten würde. 25
Sechsundzwanzig Jahre später schrieb Humboldt an einen befreundeten Geographen: „Ich habe mir mein Leb- tag [6] etwas darauf eingebildet,[7] unter den Sterblichen der- jenige zu sein, der am höchsten in der Welt gestiegen ist. Wie lange haben die Menschen gestaunt über die Höhe 30 der Kordilleren, die ihnen von La Condamine und den

---

[4] (der Felskamm ridge)   [5] der Abgrund precipice
[6] mein Lebtag all my life
[7] sich etwas ein-bilden auf to pride oneself greatly on

anderen peruanischen Geodäten bekanntgemacht worden war, und ich habe dieses Staunen geteilt und bin stolz gewesen auf meine Aszension." Er fährt dann fort, von den Himalajabergen zu sprechen und wie neidisch er dar-
5 auf gewesen sei, daß der Engländer Webb dort den Chimborazo-Rekord gebrochen hätte. Er habe sich aber damit getröstet, daß seine Arbeiten in Amerika die Engländer auf den Gedanken gebracht hätten,[8] die Kolosse des Himalaja-Gebirges endlich einmal zu messen.

10 Als Humboldt, neunzig Jahre alt, einem Portraitmaler Modell saß, wollte er nicht mit seinen vielen Orden gemalt werden. Statt dessen bat er den Künstler, ihm den Chimborazo als Hintergrund zu geben, denn die Besteigung dieses Berges sei seine größte Tat gewesen.

15 Es war aber nicht seine letzte große Tat auf dem südamerikanischen Kontinent. Die Gastfreundschaft der Montúfars auf ihrer Hacienda in der Nähe von Quito, selbst das Interesse, das Rosa Montúfar, die Schwester des jungen Carlos für den berühmten Gast ihres Vaters zeigte, konn-
20 ten Humboldt nicht länger zurückhalten.

Von Carlos Montúfar und Bonpland begleitet, wanderte er auf steilen Bergpfaden nach Peru weiter. Überall sah er die Überreste der mächtigen Inka-Kultur, die Pizarro und seine Banden so sinnlos zerstört hatten. Humboldt
25 zeichnete die Inka-Ruinen und die Überreste der kunstvoll gebauten altperuanischen Straßen. Diese Zeichnungen, die mit künstlerischem Geschick und wissenschaftlicher Genauigkeit ausgeführt wurden, erschienen später als Illustrationen zu den betreffenden [9] Teilen seines Werkes über
30 Südamerika. Derartige Abbildungen gab es noch nicht, und zusammen mit Humboldts eingehenden Studien über die alte Inkakultur stellen sie einen wertvollen Beitrag zur Kenntnis alter amerikanischer Kulturen dar. Zu den vielen

---

[8] auf den Gedanken bringen to suggest to   [9] betreffend in question

Verdiensten des großen Mannes gehört auch der, der erste
Archäologe Südamerikas gewesen zu sein.

Ehe Humboldt Peru verließ, wollte er noch einen seiner
romantischen Jugendträume erfüllen. Er wollte den Pazi-
fischen Ozean sehen. Der erste Anblick des „Pacifico" war 5
so überwältigend, daß er vergaß, seine gewöhnlichen Messungen zu unternehmen. Das tiefblaue Tropenmeer vor
Augen, ritt er die westliche Kordillere hinab, auf Trujillo
zu,[10] eine kleine Küstenstadt, die Pizarro gegründet und
nach seiner Heimatstadt benannt hatte. Aber Humboldt, 10
den die Brutalitäten des spanischen Fanatikers Pizarro und
die Zerstörung der Inkakultur tief bewegten, konnte jetzt
nur an eines denken. Warum waren die Küsten Perus eine
trockene Wüste? Warum war hier jahrhundertelang kein
starker Regen gefallen? 15

Er maß die Temperatur des Ozeans und der Luft und
fand den Grund für den Mangel an Regenfall in der kalten
Meeresströmung, die, von Süden kommend, an der Küste
Perus vorbeistreift und dann nach Westen abbiegt. Humboldt hat diese Strömung nicht entdeckt. Seefahrer und 20
Fischer kannten sie lange vor ihm, aber er hat ihren Einfluß auf das Küstenklima Perus erkannt, und darum trägt
sie als Humboldtströmung seinen Namen.

Diese Strömung ist auch für den Reichtum an Fischen
und infolgedessen an fischfressenden Seevögeln verant- 25
wortlich. Die Exkremente dieser Vögel, der sogenannte
Guano, bedeckten die Inseln und teilweise auch die Küste
Perus in dicken Schichten, und an vielen Stellen gab es
bis zu 60 m hohe Hügel, die aus nichts anderem als Guano
bestanden. Humboldt, wie viele Ethnologen vor ihm, 30
wußte, daß die alten Inkas ihre Felder mit Guano düng-
ten,[11] aber nur Humboldt fasste den Gedanken,[12] daß

[10] auf . . . zu in the direction of   [11] (düngen to fertilize)
[12] den Gedanken fassen to realize

Guano nach Europa exportiert werden könne. Er machte mit Guano Experimente und brachte Proben dieses Naturproduktes nach Europa, wo man bald erkannte, daß Humboldt recht hatte, wenn er den Peruguano das beste
5 Düngemittel [13] nannte, das je auf ein Feld gekommen war. Das Endergebnis seiner Experimente und Mühen war ein Handelsartikel, an dem Peru und englische sowohl wie hamburgische Kaufleute Millionen verdienten. Die Handelsstatistik belehrt [14] uns, daß im Jahre 1856 324 000 t
10 Peruguano nach Europa importiert wurden. Humboldts Biographie belehrt uns, daß der verarmte Gelehrte zwei Jahre später als neunundachtzigjähriger Greis, [15] alles, was er besaß, seinem treuen Diener Seifert schenkte, dem er oft den monatlichen Lohn nicht hatte auszahlen können.
15 Die Tragik so vieler großer Männer war auch die Humboldts: Er ging arm und verschuldet aus einer Welt, die durch sein Werk und sein Leben eine reichere und bessere Welt geworden war.

Der junge Humboldt, der in der Umgebung von Callao
20 den Guano besichtigte und seine Experimente machte, hatte keine anderen Sorgen als die, daß seine Instrumente abgenutzt [16] waren und daß er schon vier Jahre lang nicht mehr über den Fortschritt der Naturwissenschaften in Europa unterrichtet war. Er benutzte deshalb die erste Gele-
25 genheit, Südamerika zu verlassen und fuhr mit seinen Freunden auf der Fregatte Orúe nach Guayaquil, dem Hafen Ecuadors, und von dort nach Acapulco.

Er hatte geplant, nur kurze Zeit in Mexiko zu bleiben, aber wieder zwang ihn das Schicksal, seine Pläne zu än-
30 dern. Er blieb ein ganzes Jahr dort und konnte auf diese Weise Materialien zu einem umfangreichen Werk über diese reichste Kolonie des spanischen Königs sammeln, ein

---

[13] (das **Düngemittel** fertilizer) [14] **belehren** to inform
[15] der **Greis** old man [16] **ab-nutzen** to wear out

Werk, das nur er schreiben konnte, denn kein Naturforscher verstand so viel von Volkswirtschaft und Verwaltung
wie Humboldt, der ehemalige Kameralist [17] und Staatsbeamte.

Nach Kuba zurückgekehrt, wo er und Bonpland ihre 5
Sammlungen aufbewahrten,[18] erhielt er eine Einladung
von Thomas Jefferson, dem Präsidenten der Vereinigten
Staaten, nach Nordamerika zu kommen. Acht Wochen ver-
lebte Humboldt in den Staaten, drei davon als persönlicher
Gast des Präsidenten in Monticello. Der amerikanische 10
Präsident und der deutsche Naturforscher verstanden einander gut, denn sie waren beide humanistisch gebildete
Männer und Naturwissenschaftler. Jefferson hatte gerade
—es war das Jahr nach dem Ankauf von Louisiana—Lewis
and Clark auf eine Forschungsreise den Missouri hinauf 15
geschickt und war begierig, sich mit dem größten For-
schungreisenden seiner Zeit über die Schwierigkeiten solch
einer Reise zu unterhalten.

Am 3. August 1804 kam Humboldt mit seinen Freunden
in Bordeaux an. Paris, ja ganz Europa, empfing die tot 20
geglaubten Reisenden mit Jubel.[19] Humboldt hatte zu
Wasser und zu Lande 70 000 km zurückgelegt. Er und sein
Freund Bonpland hatten Tausende von Pflanzen, Minera-
lien, Insekten, Tierhäuten [20] und Kulturobjekten nach Europa geschickt oder selber mitgebracht. Die Reisekosten 25
hatte Humboldt für sich und seinen mittellosen Freund
Bonpland aus eigener Tasche bezahlt und über ein Drittel
seines geerbten [21] Geldes ausgegeben.

Nun begann er sein zweites großes Unternehmen, das
viel länger dauern sollte als die Reise und den Rest seines 30
Vermögens verschlang: [22] die Veröffentlichung der auf der

---

[17] der Kameralist student of finance   [18] auf-bewahren to store
[19] der Jubel great joy and festivity   [20] (die Tierhaut animal skin)
[21] geerbt inherited   [22] verschlingen to eat up

Reise gemachten Erkenntnisse. Von 1808 bis 1827 lebte
Humboldt fast ununterbrochen in Paris, denn nur dort
konnte er damals einen Verleger finden, der so ein Riesenwerk unternehmen konnte. Noch wichtiger war, daß Paris
5 damals das Zentrum der naturwissenschaftlichen Forschung war, und daß die größten Gelehrten Humboldt ihre
Mitarbeit anboten. Daß er es auf französisch schrieb, hatte
schließlich auch seinen Grund darin, daß Französisch damals als Sprache der Wissenschaft und Diplomatie Welt-
10 geltung hatte. Es sollte auch nicht unerwähnt bleiben, daß
Humboldt, der witzige elegante Gesellschaftsmensch in
dem hochkultivierten Paris dieser Tage sein wahres Le-
benselement fand. Er war das, was Nietzsche später als
Menschentyp der Zukunft forderte, ein guter Europäer.
15   Der Titel des Werkes hieß „Voyage aux régions equi-
noctiales du nouveau continent" (Reise in die Tropengegenden des Neuen Kontinents). Es wuchs zu dreißig Bänden an mit 1425 Abbildungen und Karten. Der Preis des
Gesamtwerkes war 7 659 Mark, d.h. nur Könige und sehr
20 große Bibliotheken konnten sich das Gesamtwerk kaufen.
Humboldt verbrauchte den Rest seines Vermögens, über
50 000 Taler, für dies Werk, und ohne häufige finanzielle
Unterstützung des Königs von Preußen wäre es nie fertig
geworden.
25   Der verarmte Humboldt mußte infolgedessen als Kammerherr [23] in den Dienst Friedrich Wilhelms III. treten
und sein geliebtes Paris mit Berlin vertauschen.[24]
    Dauernder Geldmangel verhinderte den Gelehrten von
nun an, seine weiteren Reisepläne, die Indien und Afrika
30 betrafen, durchzuführen. Das Schicksal erfüllte ihm nur
noch den einen Wunsch, Asien kennenzulernen. Zar Niko-
laus I. lud ihn ein, als Gast der russischen Regierung eine

---

[23] (der **Kammerherr** chamberlain)   [24] **vertauschen** to exchange

Reise durch das russische Asien bis zur Grenze der chinesischen Dschungarei zu unternehmen.

Trotzdem Humboldt diese unter Kosakenbegleitung [25]
mit großer Geschwindigkeit zurückgelegte Reise bildlich [26]
und wörtlich im Frack [27] machen mußte, hat auch sie ihm [5]
geholfen, die Wissenschaft zu bereichern. An Wichtigkeit
mit seiner amerikanischen Reise nicht vergleichbar, hat
seine asiatische Reise zu Veröffentlichungen geführt, die
die Kenntnisse Asiens und der Klimatologie wesentlich er-
weitert haben. [10]

Humboldt war sechzig Jahre alt, als er ins russische Asien
reiste. Die ihm noch verbleibenden drei Jahrzehnte waren
der Arbeit an seinem „Lebenswerk" gewidmet, einer phy-
sischen Weltbeschreibung, die den einfachen aber allumfassenden Titel Kosmos trug. Er schrieb darüber an seinen [15]
Freund Varnhagen von Ense, einen preußischen Diplo-
maten: „Ich habe den tollen [28] Einfall, die ganze materi-
elle Welt, alles, was wir von den Erscheinungen der Himmelsräume und des Erdenlebens, von den Nebelsternen
bis zur Geographie der Moose auf den Granitfelsen wissen, [20]
in einem Werke darzustellen." 1841 lesen wir in einem
Brief an denselben Empfänger: „Daß ein solches Werk
nicht vollendet wird von einem aus dem Kometenjahr [29]
1769, ist sonnenklar."

Nun, „der Alte vom Berge", wie sich der alte Humboldt [25]
in Erinnerung an seine Chimborazo-Besteigung gerne
nannte, hinterließ bei seinem Tode, 1859, ein Werk von
fast tausend Seiten, das zwar Fragment geblieben war,
aber, in alle Kultursprachen übersetzt, den Ruhm seines
Verfassers in der gelehrten und ungelehrten Welt auf Jahr- [30]
zehnte hinaus lebendig erhielt.

[25] (die **Kosakenbegleitung** escort of Cossacks)
[26] **bildlich** figuratively   [27] (der **Frack** full-dress suit)
[28] **toll** mad   [29] das **Kometenjahr** cometary year

Es ist verhältnismäßig leicht, Humboldts wissenschaftliche Leistungen aufzuzählen; es ist viel schwerer, fast unmöglich, seine weitreichende Wirkung auf die Naturwissenschaft zu bestimmen. Gilt dies von Humboldt dem Wis-
5 senschaftler, so gilt es auch von Humboldt dem Menschen.
Sein rein menschlicher Einfluß auf die großen und anony-
men Zeitgenossen war eine fühlbare Macht. Sie läßt sich
erkennen in der Verehrung, die Simon Bolívar, der Washington Südamerikas, für Humboldt hatte. Bolívar sagte,
10 Humboldt hätte mehr für Amerika getan als alle Conquistadores. Humboldts menschliche Wirkung läßt sich
erkennen in der Verehrung Frémonts, der Humboldts wissenschaftliche und menschliche Verdammung der Sklave-
rei und der Rassenvorurteile als politische Waffe benutzte.
15 Frémont schrieb später an Humboldt: „Die Geschichte
Ihres Lebens und Ihrer Ideen geben uns die Überzeugung,
daß Ihr großer Name uns Kraft geben wird im Kampfe um
den liberalen Fortschritt dieses Landes."

Humboldt, der Mensch und Denker, ist geschichtlich
20 betrachtet ein Vertreter der Humanitätsepoche im deutschen Geistesleben. Humanität war für die Großen dieses
Zeitalters der Glaube an die Möglichkeit einer freien vollen Entwicklung aller aufbauenden menschlichen Kräfte,
und an die Menschheit als eine Einheit, die sich einmal
25 über die Schranken der Nationalitäten, Rassen und Religionen erheben werde, um ihre wahre Bestimmung [30] zu
erfüllen; ein Glaube, zu dem wir Menschen des Atomzeit-
alters uns auch bekennen.[31]

[30] die **Bestimmung** destiny   [31] (sich) **bekennen** to profess

EXERCISE

Questions

1. Warum war die Ankunft eines Schiffes ein Ereignis in Acapulco?
2. Was war so ungewöhnlich daran, daß Humboldt die Erlaubnis bekommen hatte, das spanische Kolonialreich als Naturforscher zu durchreisen?
3. War es nur Wanderlust, die Humboldt in die tropischen Länder getrieben hatte?
4. Welchen Zweck hatten Humboldts Wanderungen an der Küste von Acapulco?
5. Woher kennen viele Amerikaner Humboldts Namen, auch wenn sie nichts weiter von ihm wissen?
6. Inwiefern unterschied sich La Condamines Expedition von der Humboldts?
7. Wie hatte schon der junge Humboldt sein menschliches Mitgefühl mit dem Los der unteren Volksklassen gezeigt?
8. Was tat Humboldt, um das Höhenprofil Spaniens darstellen zu können?
9. Was war das große wissenschaftliche Ziel von Humboldts Reise?
10. Warum war Humboldt ein Gegner der Naturphilosophie, wie sie die idealistischen Philosophen Schelling und Hegel vertraten?
11. Was läßt sich als typisch deutsch in Humboldts Wesen bezeichnen?
12. Welcher Vegetationsgürtel eines Tropenberges würde der Vegetationszone im arktischen Gebiet entsprechen?
13. Warum freute sich Humboldt, in Venezuela an Land gestiegen zu sein?
14. Weshalb fuhr Humboldt den Casiquiare hinab?
15. Welche Methode benutzten die Indianer, um die Zitteraale zu „entladen"?
16. Inwiefern sind Humboldts Naturschilderungen mehr als Wortphotographien?
17. Welche der vielen Stimmen des Urwaldes hat Humboldt genau untersucht, und wo hat er diese Untersuchungen veröffentlicht?

18. Welche Ähnlichkeit besteht zwischen der Denkart Humboldts und der Herders?
19. Was für Beziehungen hatte Humboldt zu den Montúfars von Quito?
20. Warum kann man Humboldt den ersten Archäologen Südamerikas nennen?
21. Warum wollte Humboldt nach vier Jahren Abwesenheit von Europa seine Reise beenden?
22. Welche Unternehmungen hatten Humboldt sein ganzes Vermögen gekostet?
23. Warum brachte Humboldt so viele Jahre seines Lebens in Paris zu?
24. Wodurch unterschied sich Humboldts Reise in die asiatischen Teile Rußlands von seiner Reise in die Tropengegenden Amerikas?
25. Wovon handelt Humboldts Buch *Kosmos*?
26. Welche von Humboldts liberalen Ideen ist heute (in der zweiten Hälfte des zwanzigsten Jahrhunderts) so modern und so wichtig, wie sie zu seiner Zeit war?

Translation Aids

1. *werden*

Before translating a construction in which some form of **werden** occurs, you will have to determine in which of the three functions it is used: (*a*) as independent verb; (*b*) as auxiliary to a past participle to form the passive voice; or (*c*) as auxiliary to an infinitive to form the future tense.

    (*a*)   **er wird** *älter*   *he gets (grows, becomes) older*
    (*b*)   **das Haus wird** *gebaut*   *the house is being built*
    (*c*)   **er wird bald** *schreiben*   *he will write soon*

In addition, you will have to determine the tense in uses *a* and *b*. In *c*, only the present tense is used; here **wird**, or its plural **werden**, always means *will*.

(*a*)		
PRES.	wird	*becomes*
PAST	wurde	*became*
PRES. PERF.	ist . . . geworden	*has become*
PAST PERF.	war . . . geworden	*had become*
FUTURE	wird . . . werden	*will become*

(*b*)		
PRES.	wird . . . . past part.	*is*
PAST	wurde . . . past part.	*was*
PRES. PERF.	ist . . . . . past part. *worden*	*has been*
PAST PERF.	war . . . . past part. *worden*	*had been*
FUTURE	wird . . . . past part. werden	*will be*

    (*a*)   **sind bekannt geworden**   *have become known*
          war Arzt geworden   *had become a physician*

    (*b*)   **wurde veröffentlicht**   *was published*
          wurden erzählt   *were told*
          ist geleistet worden   *has been done*

The passive infinitive consists of a past participle and **werden**. The form **werden** always means *be:* **muß gebaut werden** *must be built*

> **verdient genannt zu werden**   *deserves to be named*
> **muß erwähnt werden**   *must be mentioned*
> **kann gerettet werden**   *can be saved*

2. Reflexive Construction

If a German reflexive verb has no corresponding construction in English, you will do well to translate it with a passive construction or, after having translated it, express it in idiomatic English.

Im Dorf befinden sich Bauern usw.   *In the village are found peasants, etc.*

Die Liebe zum Walde zeigt sich   *Love for the forest is evident*

Varianten finden sich   *Variants are found*

3. sich *lassen*

When you come across **lassen** used with **sich**, you should first determine whether the subject of the sentence is a thing or a person.

(*a*) If the subject is a thing or an abstraction, translate **läßt sich** by *can be* and **ließ sich** by *could be* and the German infinitive by the past participle.

Die Vitalität des Faustproblems läßt sich nachweisen.   *The vitality of the Faust problem can be shown.*

daß sich keine Löcher finden ließen   *that no holes could be found*

(*b*) If the subject is a person, translate **läßt sich** by *has* and **ließ sich** by *had*, and the German infinitive by the past participle.

die er sich von einem Lehrer korrigieren ließ   *which he had corrected by a teacher*

den er sich hatte bauen lassen   *which he had had built*

4. *sein* plus a dependent infinitive

When a form of **sein** has a dependent infinitive with **zu**, this infinitive has passive force in English. In accordance with the meaning of the sentence in which it occurs, translate **ist** or **war** by *can, could, must, had to, is to* or *was to*, plus the passive infinitive.

die nur in mündlicher Tradition zu finden war   *which could be found only in oral tradition*

was übrigens symbolisch zu verstehen ist   *which, incidentally, must be understood symbolically*

daß hier Arbeit zu leisten war *that work had to be done here*
was zu erwarten war *which was to be expected*

5. sollen

Like most students you too may be tempted to translate a form of **sollen** by *shall* or *should*. In many instances, however, one of the following meanings will furnish a more exact and idiomatic translation of the German.

(*a*) **soll** *is said to, is to, is supposed to*

Hegel soll geantwortet haben *Hegel is said to have answered*
. . . , wo dieser töten soll *. . . , where the latter is to kill*

(*b*) **sollte** *was said to, was to, was supposed to; should, ought to*

Jedes Wort sollte gegeben werden *Every word was to be given*
Viele Jahrzehnte sollten vergehen *Many decades were to pass*
. . . der an diesem Abend dirigieren sollte *. . . , who was supposed to conduct that evening*

6. Subjunctive

(*a*) The presence of an **e**-ending instead of a **t** in the third person singular of the present tense and the form **sei** indicate a subjunctive form. When used in a direct statement translate by *may, shall,* or *should* and the infinitive:

Man vergesse nicht *One should not forget*
Dieser Fall diene als Beispiel. *This case may serve as an example.*
Man glaube nicht, daß . . . *One should not believe that . . .*
Nur ein Beispiel sei erwähnt! *Only one example shall be mentioned!*

(*b*) The **wir**-form used in inverted order and followed by an exclamation point is best translated by *Let us* and the infinitive:

Versuchen wir es jetzt zu erklären! *Let us now try to explain it!*
Seien wir aber nicht ungerecht! *But let us not be unjust!*

(*c*) In the conditional clause translate subjunctive forms which are derived from the past indicative by the past form (*If he went*) and in the conclusion by *would* and the infinitive (*I would go*)

Wenn sie es wüßten, kämen sie. *If they knew it, they would come*

(*d*) Subjunctive forms which are derived from the past perfect should be translated by the past perfect in the condition (*If he had gone*) and by *would* and the perfect infinitive in the conclusion (*he would have gone*)

Wenn sie es gewußt hätten, wären sie gekommen. *If they had known it, they would have come.*
Es wäre nicht möglich gewesen. *It would not have been possible.*

(*e*) The meaning of some modal auxiliary verbs depends on whether they are used in the clause which states the condition or the conclusion.

CONDITION		CONCLUSION
wenn er müßte	*if he had to*	*he would have to*
wenn er dürfte	*if he were permitted to*	*he might*
wenn er könnte	*if he were able to*	*he could*
wenn er möchte	*if he would like to*	*he would like to*
wenn er wollte	*if he wanted to*	*he would want to*
wenn er sollte	*if he should*	*he ought to, he should*

Sie sollte es eigentlich schicken. *She really ought to send it.*
Wenn er wirklich müsste, könnte er es tun. *If he really had to, he could do it.*

(*f*) Again, when you are confronted with a compound form of the modal auxiliaries (**er *hätte* gehen *können***), you should first determine whether the statement is used in a condition or a conclusion. Note from the following examples how the English differs in these two situations.

CONDITION		CONCLUSION
er hätte . . . müssen	*if he had had to*	*he would have had to*
er hätte . . . dürfen	*if he had been permitted to*	*he would have been permitted to*
er hätte . . . können	*if he had been able to*	*he could have*
er hätte . . . mögen	*if he would have liked to*	*he would have liked to*
er hätte . . . wollen	*if he had wanted to*	*he would have wanted to*
er hätte . . . sollen	*if he had been supposed to*	*he ought to have, he should have*

Der Name hätte heißen können *The name could have been*
Er hätte keine bessere Frau finden können. *He could not have found a better wife.*

Wenn er es hätte tun wollen, hätte er es gedurft. *If he had wanted to do it, he would have been permitted to do it.*

(g) German uses subjunctive forms in the indirect discourse; in other words, by using subjunctive forms the writer wishes to indicate that he does not regard the statement as true, or that he is repeating something someone else has said or written. You may, therefore, find subjunctive forms in several consecutive sentences. In English we have to employ here such phrases as: *X goes on to say, states further,* etc. Actually the German forms present no difficulty, since you use the indicative throughout. You should also, if necessary, disregard the tense in German and translate in accordance with your Sprachgefühl.

Die einen glaubten, daß er als Hund auf die Bühne springen *werde*. *There were those who believed that he would jump on the stage in the shape of a dog.*

Wolfgang sagt, er *habe* gelesen, daß der Teufel erschienen *sei*. *Wolfgang said that he had read that the devil had appeared.*

Manche sagen, Genie sei nichts als ungeheure Energie. *Some say that genius is nothing but enormous energy.*

7. Object First

(a) Frequently a German sentence begins with the object rather than the subject. Forms like den, diesen, einen, or einem clearly indicate the forms of the direct and indirect object. In such cases, you should first locate the subject which will be found immediately after the verb.

Den Geist dieser Zeit zeigt *die folgende Bemerkung*. *The following remark shows the spirit of that time.*

Einem kinderlosen Ehepaar wird *ein Kind* geboren. *A child is born to a childless couple.*

(b) In the case of feminine and neuter nouns and plural forms, detection of the direct object is only possible through the meaning of the sentence, since the forms **die, diese, seine,** are the same in both the nominative and accusative.

Die Geschichte verdirbt das Vorlesen. *Reading aloud spoils the story.*

Manche Märchen haben aber ihre Freunde gesammelt. *However, their friends have collected some fairy tales.*

Solche Theorien kann die moderne Forschung nicht mehr annehmen. *Modern research can no longer accept such theories.*

8. Inversion

(*a*) When a sentence begins with the verb and you don't find a question mark or an exclamation point at the end of the clause, you should begin your translation with *if*. The main clause is normally introduced by **so** or **dann**.

War die Meeresenge von Gibraltar die westliche, so war ein Kap an der Goldküste Afrikas die südliche Grenze. *If the Straits of Gibraltar was the western boundary, then a cape on the Gold Coast of Africa was the southern boundary.*
Fragt man einen Laien, so erhält man die Antwort . . . *If we ask a layman, then we receive the answer* . . .
War Rom verehrt worden, so wurde Athen vergöttert. *If Rome had been honored, then Athens was worshipped.*

(*b*) The *if*-clause may also follow the main clause:

Dieses Phänomen muß man im Auge behalten, will man . . . **verstehen** *We must keep this phenomenon in mind, if we want to understand* . . .

(*c*) When you find inversion and **auch** or **gleich** in the dependent clause and **so** or **doch** in the main clause, begin your translation with *even though*.

Hatte man auch den Don Juan in Prag verstanden, so war dies in Wien keineswegs der Fall. *Even though Don Juan had been understood in Prague, this was by no means the case in Vienna.*

9. Postpositions

Certain prepositions may follow rather than precede the noun or pronoun and are, therefore, called postpositions. The two most common ones are used in these essays: **nach** *according to* and **wegen** *on account of.*

unseren heutigen Begriffen nach *according to our present day ideas*
der Überlieferung nach *according to tradition*
des Effektes wegen *on account of the effect*

10. The Complex Attribute

In this construction a noun is modified by a phrase rather than by an adjective: **die** *das Publikum besonders interessierenden* **Attraktionen** rather than die *neuen* Attraktionen.

First of all you will have to notice that you are dealing with a complex attribute. You can recognize it by the "clash." As you translate *the the public,* you realize that *the* and *the* clash. You want a noun for the first *the* and your second step will be to find this noun. It is ordinarily preceded by a present participle or a past participle used as an adjective. The participle is your key word and comes third in your translation, i.e., *the attractions interesting;* then follows *especially to the public;* or using the key word as the verb of the relative clause, the translation now reads: *the attractions which especially interest the public.*

(*a*) *the key word is a present participle*
Translate the present participle by the active voice.

Die Phantasie des Volkes machte ihn zum Vertreter des alle Grenzen niederbrechenden Titanen. *The imagination of the people made him the Titan who breaks down all boundaries.*

(*b*) *the key word is a present participle governed by zu*
When the present participle which is governed by **zu** is not modified by an adverb, translate it by the perfect infinitive; when it is modified, by the active infinitive.

Dann unterhalten sie sich über das *aufzuführende* **Stück.** *Then they talk about the play to be presented.*
Es ist ein *leicht zu lösendes* **Problem.** *It is a problem easy to solve.*

(*o*) *the key word is a past participle*
Translate the past participle by the passive voice.

ein Volk, das sich auf seinem dem Meere *abgerungenen* **Lande ange-siedelt hat.** *a people which settled on his land which had been wrested from the ocean.*

(*d*) *the key word is an adjective*
Supply a form of *to be* as the verb of the relative clause.

Faust hat den Weg zu einer der Gemeinschaft *nützlichen* **Lebens-form gefunden.** *Faust found the way to a form of life which is useful to the community.*

11. Relative Pronouns

The forms of the relative pronouns are similar to those of the definite article. You will have to watch especially for the forms **dessen** and **deren,** meaning *whose, of which* and **denen** *meaning (to) whom, (to) which.* When you find a form of **der, die, das** and **dessen, deren, denen** after a comma, and the verb stands at the end of the clause, you are dealing with a relative clause. Consequently **der** means *who* or *which;* **den,** *whom* or *which,* etc.

> **dessen Anfang** *whose beginning*
> **von denen der dritte** *of which the third*
> **deren seidene Gewänder** *whose silk gowns*

12. da(r)- compounds

The **da(r)-** may either refer to a noun (**damit** *with it,* **darauf** *on it*) or help introduce a dependent and infinitive clause. In such a case you must select one of the three possible translations.

(a) the fact that

Er machte Hegel darauf aufmerksam, daß . . . *He called Hegel's attention to the fact that . . .*
Es sei nur daran erinnert, daß . . . *We only have to remind ourselves of the fact that . . .*
Er ist stolz darauf, daß . . . *He is proud of the fact that . . .*

(b) disregard da(r)- and translate the verb of the dependent clause with the -*ing* form:

sie davor zu retten, vergessen zu werden *to save them from being forgotten*
. . . sind dafür verantwortlich, daß Faustus gejagt wird . . . *are responsible for F. being driven out*
Er versuchte Schliemann davon abzuhalten, . . . auszudeuten. *He tried to keep Schliemann from interpreting . . .*

(c) disregard da(r)- or the entire da(r)- compound

Sie haben darauf hingewiesen, daß *They have pointed out that*
Sie glaubten fest daran, daß *They firmly believed that*
Das Publikum wartet darauf, . . . zu sehen *The audience waits to see*

13. Adjectives used as nouns

(*a*) German frequently uses adjectives and past participles as nouns. Many examples occur in these essays. While some are now firmly established as nouns (**der Fremde** *stranger,* **die Geliebte** *sweetheart,* **der Verwandte** *relative,* **Erwachsene** *adults*), others must be translated by adding *one, person, boy, girl,* or *thing,* whatever the case may be.

> **der Verfolgte**   *the persecuted person*
> **die Schlechten**   *the wicked people*
> **die Schöne**   *the beautiful girl*
> **der Klügere**   *the more clever one*
> **das Richtige**   *the correct thing*
> **der Neugierige**   *the curious person*
> **Arme**   *poor people*

(*b*) Sometimes the idea of the adjective-noun must be expressed by a relative clause: **das oben Gesagte** *that which has been said above;* **das Vergangene** *that which has passed.*

14. *Anstatt, ohne, um* with zu plus Infinitives

Of the three prepositions mentioned, two are followed by the *-ing* form in English.

(*a*) anstatt . . . zu *instead of*

> **anstatt die Erde in ein Paradies zu verwandeln**   *instead of changing the earth into a paradise*
> **anstatt für sie zu reden**   *instead of speaking in their behalf*

(*b*) ohne . . . zu *without*

> **ohne zu verstehen**   *without understanding*
> **ohne gesehen zu haben**   *without having seen*

(*c*) um . . . zu *in order to* is followed by an infinitive

> **um zu geben**   *in order to give*
> **um zu suchen**   *in order to look for*

Vocabulary

The plural is indicated for nouns; the genitive singular as well
for weak masculine nouns. Principal parts for strong and irregular verbs are given. A separable prefix is indicated by a hyphen.
Unless the accent is indicated, words are accented on the first
syllable; words with inseparable prefixes, however, are accented
on the root syllable. (*p.p.*) = past participle.

ab-biegen, o, o (ist) to turn

die Abbildung, –en illustration, picture

ab-brechen, a, o to break off; interrupt

das Abendland Occident, West; der
Abendländer, – Westerner;
abendländisch Occidental, Western

das Abenteuer, – adventure; aben-
teuerlich adventurous

ab-halten von, ie, a to keep from

die Abhandlung, –en essay, treatise

ab-hängen, i, a to depend

ab-laufen, ie, au (ist) to terminate,
complete

ab-lehnen to decline

ab-nehmen, a, abgenommen to take
off

Abschied nehmen, a, genommen to
say good-by

der Abschreiber, – copyist

die Abschrift, –en copy, transcript

die Absicht, –en intention

sich ab-spielen to take place

die Abstammung descent

das Absterben decay, decline

der Abstieg, –e descent

die Abstinenz'lerbewe'gung, –en
teetotaller movement

ab-weichen, i, i to deviate

die Abwesenheit absence

ach alas

die Achtung esteem

der Ackerbau agriculture

der Adel nobility; adlig noble

der Affe, –n, –n ape, monkey

das Ägä'ische Meer Aegean Sea

ähnlich similar; die Ähnlichkeit
similarity

die Ahnung, –en presentiment

all all, entire; alles everything;
everybody; vor allem above all

allerdings' to be sure

allgemein' general; im allgemei'-
nen in general

die Allmacht omnipotence

allmäh'lich gradually

allumfassend all-embracing

das Almo'sen, – alms

als as; than; *conj.* when; as though

also therefore, so

das Alter age; altern to grow old;
das Altertum antiquity; altger-
ma'nisch Ancient Germanic; das
Altgrie'chische Ancient Greek

die Ameise, –n ant

der Anblick view, sight; beim —
at the sight of

die Anden (*pl.*) Andes mountains

ander– other; anders differently;
else; anderseits on the other
hand

ändern to change

anderthalb one and one half
an-drehen to turn on
an-erkennen to recognize, acknowledge; **die Anerkennung,** –en recognition
an-fallen, ie, a to attack
der Anfang, ″e beginning; **anfangs** in the beginning; **das Anfangsstadium,** –stadien earliest stage
die Anfeindung, –en hostility
das Angebot, –e offer
an-gehören to belong to
angesehen (*p.p.*) respected, distinguished
der Angriff, –e attack
die Angst, ″e anxiety, fear
der Anhänger, – follower
sich **an-hören** to listen to
der Ankauf, ″e purchase
an-kommen, a, o (ist) to arrive
die Ankunft arrival
die Anmerkung, –en note, comment
an-nehmen, a, angenommen to accept; assume
an-ordnen to arrange, group; **die Anordnung,** –en arrangement, disposition
die Anregung, –en stimulation
an-schauen to look at; **die Anschauung,** –en idea, view
sich **an-schließen,** o, o to join
an-setzen to fix, schedule
die Ansicht, –en view
sich **an-siedeln** to settle
die Ansprache, –n speech, address
anstatt instead of
anstrengend strenuous; **die Anstrengung,** –en strain, hardship
der Anteil, –e part
die Anti′ke Antiquity
an-treffen, traf an, angetroffen to meet
an-wachsen, u, a (ist) to grow to, swell
anwesend present
die Anzahl number
an-ziehen, zog an, angezogen to dress, attract
der Apparat′, –e apparatus

die Arbeit, –en work, task, labor; treatise, investigation; **arbeitsam** industrious; **das Arbeitsfeld,** –er field of activity; **die Arbeitsleistung,** –en achievement; **die Arbeitslosigkeit** unemployment; **die Arbeitsweise,** –n manner of working
sich **ärgern über** to be annoyed at
arisch Aryan
arm poor, needy, wretched; **der Arme** poor man, pauper; **Arme** poor people; **das Armenkrankenhaus,** ″er hospital for the poor, charity hospital; **die Armut** poverty
die Art, –en kind; manner, way
der Arzt, ″e physician; **der Arztberuf** medical profession; **ärztlich** medical
(**das**) **Aschenputtel** Cinderella
die Assisten′tenzeit assistant days
atemlos breathless
auf on, upon; — **und ab** up and down
aufbauend constructive
der Aufenthalt, –e stay, stop
auffallend striking
auf-fassen to conceive; interpret; **die Auffassung,** –en concept
auf-finden, a, u to locate
auf-fischen to fish up
auf-fordern to ask, invite
auf-frischen to refresh
auf-führen to perform, give, present; **die Aufführung,** –en performance
die Aufgabe, –n task; problem; **auf-geben,** a, e to give up, abandon
auf-gehen, ging auf, aufgegangen (ist) to go up; rise
aufgeklärt (*p.p.*) enlightened
aufgeschlagen (*p.p.*) opened
sich **auf-halten,** ie, a to stop
auf-hören to stop, end
auf-kaufen to buy up
die Aufklärung Enlightenment, Age of Reason

sich auf-lösen to melt, dissolve

aufmerksam machen auf to call attention to

die Aufnahme, –n reception; picture; auf-nehmen, a, o to receive; accept; take in, absorb

aufregend exciting

aufrichtig sincere, true

der Aufsatz, "e theme, essay, article

auf-schreiben, ie, ie to write down

auf-setzen to put on (one's head)

auf-steigen, ie, ie (ist) to rise

auf-stellen to put forth; sich — take one's place

der Aufstieg, –e rise, ascent

auf-treten, a, e (ist) to appear, come on the stage

auf-wachsen, u, a (ist) to grow up

aufwärts upward; up-stream

auf-weisen, ie, ie to show

auf-zählen enumerate

auf-zwingen, a, u to force upon

der Augenblick, –e moment

die Ausbeutung exploitation

der Ausblick, –e view; prospect

sich aus-breiten to spread

der Ausbruch, "e outbreak

aus-deuten to interpret

ausdrehen to turn off

der Ausdruck, "e expression; zum — kommen find expression; aus-drücken to express, state; die Ausdrucksform, –en form of expression

ausfindig machen to find out, learn

der Ausflug, "e excursion

aus-führen to carry out; execute; ausführlich detailed, in detail

die Ausgabe, –n edition

der Ausgangspunkt, –e starting point; point of departure

aus-geben, a, e to spend

ausgesetzt sein to be exposed

ausgesprochen (p.p.) marked, decided

ausgestreckt (p.p.) outstretched

ausgezeichnet (p.p.) excellent

aus-graben, u, a to dig up, excavate;

die Ausgrabung, –en excavation

das Ausland foreign country; ins — abroad

der Ausländer, – foreigner; ausländisch foreign

die Ausnahme, –n exception

aus-nutzen to make good use of, exploit

aus-packen to unpack

aus-reichen to suffice

aus-rufen, ie, u to call out; proclaim

ausschließlich exclusively

aus-sehen, a, e to look

die Außenwelt outside world

außer outside; besides; äußer– outer, external, outside; außerdem besides, moreover; außerhalb outside of; außerordentlich extraordinary; äusserst extremely

aus-setzen to expose

die Aussicht, –en view; prospect

aus-sprechen a, o to pronounce

aus-stellen to exhibit

aus-sterben, a, o (ist) to die out, become extinct

aus-üben to exert; have

aus-wählen to single out; select

der Auswanderer, – emigrant; die Auswanderung, –en emigration

auswendig lernen to memorize

aus-zahlen to pay out

aus-ziehen, zog aus, ausgezogen to take off

der Autoritäts'glaube belief in authorities

der Bachkenner, – Bach expert; das Bachwerk, –e work on Bach

die Bahnfahrt, –en train ride

der Bambusstab, "e bamboo stick

der Band, "e volume

die Bande, –n gang

die Barbarei' barbarism; die Barba'renhorde, –n horde of Barbarians

bärtig bearded

der Baske, –n, –n Basque

der Baß bass; deep voice

der Bau, Bauten construction; structure

der **Bauch,** *e belly
bauen to build, erect
der **Bauer,** –n farmer; die **Bäuerin,**
–nen farm woman
baumlang tall, strapping
der **Baustil,** –e architecture
(das) **Bayern** Bavaria; **bayrisch**
Bavarian
bedecken to cover
bedenken, bedachte, bedacht **to**
think, consider
bedeuten to mean, signify; **be-**
deutend important; great; significant; **bedeutsam** significant;
imposing; die **Bedeutung,** –en
meaning; significance, importance; **bedeutungsvoll** meaning-
ful
bedrohen to threaten
beeinflussen to influence
beenden to end, finish, complete
sich **befassen** mit to concern oneself with
befehlen, a, o to order
sich **befinden,** a, u to be, be
found
der **Befreier,** – liberator, rescuer
die **Befriedigung** satisfaction
begabt gifted; die **Begabung** gift,
talent
begegnen (ist) to meet, run into
begeistern to inspire, fill with en-
thusiasm; **begeistert** (*p.p.*) en-
thusiastic
begierig anxious
begleiten to accompany; der **Beglei-**
ter, – companion, escort
beglücken to make happy
sich **begnügen** to content oneself
begraben, u, a to bury; das **Begräb-**
nis, –se funeral
begreifen, begriff, begriffen to understand, comprehend; der **Be-**
griff, –e idea, concept, term
begründen to found; der **Begrün-**
der, – founder
begrüßen to greet
begünstigt favored
behalten, ie, a to keep, retain

behandeln to attend (*medically*),
treat
behaupten to assert, maintain,
claim; die **Behauptung,** –en as-
sertion
beherrschen to dominate; master
bekommen, a, o to get, receive
bei at, near; with, among; in the
case of; **beim Baden** while taking
a bath
bei-behalten to keep, retain
beide both, two
der **Beifall** applause; der **Beifalls-**
sturm, *e thunder of applause
das **Bein,** –e leg
beinahe almost
das **Beispiel,** –e example; **z.B.** for
example; **beispielhaft** exemplary
der **Beitrag,** *e contribution; **bei-**
tragen, u, a to contribute
bekannt (well-) known; familiar;
— **machen** make known, introduce; **am bekanntesten** best
known; die **Bekanntschaft,** –en
acquaintance
sich **beklagen** to complain
bekriegen to make war upon
belebt animate
beleidigen to offend; **beleidigend**
offensive, insulting
die **Beleuchtung** lighting
beliebt popular, favorite
belohnen to reward
belustigen to amuse
bemerken to observe; die **Bemer-**
kung, –en remark
sich **bemühen** to strive
benachbart neighboring
beneiden to envy
benennen, benannte, benannt **to**
name
benutzen to use, employ
beobachten to observe, watch; die
Beobachtung, –en observation
berechnen to calculate
bereichern to enrich; sich —
feather one's nest
bereisen to visit
bereits already

bereuen to regret

der Berg, –e mountain; der Bergbau mining; der Bergmann, –leute miner; die Bergbesteigung, –en mountain-climbing; der Bergpfad, –e mountain path; das Bergsteigen mountain climbing; der Bergsteiger, – mountain climber; das Bergwerk, –e mine

der Bericht, –e report, account; berichten to report

der Beruf, –e profession; berufen, ie, u to call; appoint; beruflich professional; der Berufs'archäolo'ge, –e, –n professional archeologist; der Berufskrieger, – professional soldier

beruhen to rest (on); be due (to); be based (on)

berühmt famous; die Berühmtheit, –en celebrity, person of fame

die Berührung contact

die Beschädigung, –en damage, injury

sich beschäftigen to occupy oneself

beschämen to shame, make ashamed

bescheiden modest

beschenken to present

beschließen, o, o to decide

beschreiben, ie, ie to describe; die Beschreibung, –en description

sich beschweren to complain

beseelt sein to be animated

sich besehen, a, e to inspect, examine

beseitigen to remove; put an end to

besichtigen to inspect

besiegen to overcome, conquer; die Besiegung conquest

besitzen, besaß, besessen to possess, own, have; der Besitzer, – owner, possessor; die Besitzung, –en possession

besonder– special; besonders especially; nichts Besonderes nothing special

besorgt apprehensive, anxious

die Bestätigung, –en confirmation

bestehen, bestand, bestanden to be, exist; pass (an examination); — aus consist of; das Bestehen existence

besteigen, ie, ie to climb; die Besteigung, –en ascent

bestimmen to determine; define; bestimmt certain; distinct, definite

bestrafen to punish; die Bestrafung, –en punishment

der Besuch, –e visit; besuchen to visit; attend

betonen to stress, emphasize

betrachten to consider; beträchtlich considerable; die Betrachtung, –en observation; consideration; die Betrachtungsweise, –n viewpoint

betragen, u, a amount to

betreffen, betraf, betroffen to concern

betreiben, ie, ie to pursue, carry on

betreten, a, e to enter

der Betrüger, – deceiver, imposter

beurteilen to judge; die Beurteilung judgment; criticism

die Beute spoil

die Bevölkerung, –en population

bevor-stehen, stand bevor, bevorgestanden to be imminent, impending

bewachen to watch, guard

bewaffnen to arm

bewegen to move; stir; induce; die Bewegung, –en activity, movement, motion; die Bewegungsfreiheit freedom of movement

der Beweis, –e proof; beweisen, ie, ie to prove

die Bewertung, –en evaluation

der Bewohner, – inhabitant

bewußt conscious; bewußtlos unconscious; das Bewußtsein consciousness

bezahlen to pay

bezeichnen to denote, call; indicate; die **Bezeichnung**, –en designation, name

die **Beziehung**, –en connection, relation; sich **beziehen auf** to refer to, relate to

der **Bezug**: in — auf with regard to

die **Bibliothek'**, –en library

bieten, o, o to offer

das **Bild**, –er picture; image; **bilden** to form; die **Bildung** education

bis until; — zu up to; **bisher'** up to now

die **Bitte**, –n request, plea; **bitten**, bat, gebeten request, ask

die **Bitterkeit** bitterness

blasen, ie, a to play; das **Blas'instrument'**, –e wind-instrument

bläulich bluish

bleiben, ie, ie (ist) to remain

der **Blick**, –e glance; view; **blicken** to look

blitzähnlich lightning-like

bloß mere

das **Blut** blood; **bluten** bleed

die **Blütezeit** golden age

blutig bloody

der **Bocksfuß**, ″e goat's foot

der **Boden** ground; soil

der **Bogen**, ″ sheet (of paper); arc

böhmisch Bohemian

bös(e) bad, wicked, evil; der **Böse** the wicked (person); die **Bosheit**, –en malice; spite

der **Bota'niker**, – botanist; **botanisie'ren** to botanize

der **Brauch**, ″e custom; **brauchbar** useful; **brauchen** to need; use

brausen to rage; roar

das **Bravorufen** shouting of bravo

die **Breitseite**, – en broadside

der **Brief**, –e letter; die **Briefsammlung**, –en collection of letters

der **Bringer**, – bringer, originator

der **Bruch**, ″e breaking (off); die **Bruchstelle**, –n place of fracture

der **Buchdruck** printing

der **Buchhalter**, – book-keeper

die **Bucht**, –en bay

büffeljagend hunting buffaloes

die **Bühne**, –n stage

der **Bund**, ″e alliance, agreement, pact

das **Bündel**, – bundle

bunt colorful

die **Burg**, –en castle, citadel

der **Bürger**, – citizen; das **Bürgerhaus**, ″er middle-class home; **bürgerlich** middle-class

die **Charakterisie'rungskunst** art of characterisation; der **Charak'terzug**, ″e characteristic

der **Chilewein**, –e Chilean wine

der **Christ**, –en, –en Christian; **christlich** Christian; das **Christentum** Christianity

da *adv.* then, there; *conj.* since

dabei moreover, besides

das **Dach**, ″er roof

dahin there; bis — up to then

damalig of that time

damals at that time

die **Dampfmaschine**, –n steam-engine

dankbar grateful

dar-bieten, o, o to offer, present

dar-stellen to represent; exhibit; present; portray, describe; die **Darstellung**, –en representation

darun'ter among them

das **Dasein** existence, life

dauern to last; take; **dauernd** continuous, constant

die **Decke**, –n ceiling

demgemäß accordingly

die **Denkart**, –en way of thinking; **denkbar** conceivable; der **Denker**, – thinker; das **Denkmal**, ″er monument; das **Denk'system'**, e system of thought

derartig of such a kind

deren whose, of which; their

derjenige that one; **diejenigen** those

deshalb therefore, for that reason

dessen whose; the latter's; of that

deutlich clearly

d.h. = das heißt that is to say

dicht dense, thick, heavy

der Dichter, – poet, writer; **dich-terisch** poetic; die **Dichtung** poetry; literature

das Dickicht, –e thicket; jungle

dienen to serve; der Diener, – servant; der Dienst, –e service

diesmal this time

der Dilettant', –en, –en amateur

der Dirigen'tenstab, ̈e baton; **diri-gie'ren** to conduct; beim **Diri-gie'ren** while conducting

diskutie'ren über to discuss

doch nevertheless; after all; surely

die Doktorarbeit, –en doctoral dissertation

der Donner thunder; **donnernd** thunderous

die Dornhecke hedge of thorns; das **Dornrös'chen** Sleeping Beauty

dortig of that place, there

der Drache, –n, –n dragon

dreifach threefold

dringen, a, u (ist) reach, penetrate (into); **dringend** urgent

das Drittel, – third

die Drohung, –en threat

drückend oppressive

die Dschungarei Dzungaria (*region in China*)

dumpf dull, deep-sounding

dunk(e)l– dark, obscure; die **Dun-kelheit** darkness

durchaus quite; by all means

durch-brechen, a, o to break through

durch-dringen, a, u to penetrate

durch-fallen, ie, a (ist) to fail the examination

durch-führen to carry out, accomplish

durchleuch'ten to irradiate; die **Durchleuch'tung,** –en X-raying

durchrei'sen to travel through

durch-schneiden to cut through

durchschnittlich average; der

Durchschnittsbürger, – average citizen

sich durch-setzen to gain a footing, establish oneself

eben just

die Ebene, –n plain, level

ebenso just as; **ebensowenig . . . wie** neither . . . nor

echt genuine

die Ecke, –n corner

edel (*inflected:* edl–) noble

der Edelstein, –e precious stone

ehe before

die Ehe, –n marriage

ehemalig former

der Ehemann, ̈er husband; das **Ehepaar,** –e married couple

die Ehre, –n honor; **ehren** to honor, respect; die **Ehrenstelle,** –n honorable place; **ehrenswert** honorable; die **Ehrfurcht** reverence, awe; **ehrlich** honest, sincere

der Eifer zeal

eifrig eager, zealous

eigen own; **eigenartig** peculiar, distinctive

eigentlich real, actual

einander one another, each other

ein-bringen, brachte ein, eingebracht to bring in

ein-dringen, a, u (ist) to penetrate, invade

der Eindruck, ̈e impression; **ein-drucksvoll** impressive

einfach simple; die **Einfachheit** simplicity

der Einfall, ̈e invasion; idea

der Einfluß, ̈e influence

ein-führen to introduce, import

der Eingeborene, –n, –n native

ein-gehen, ging ein, ist eingegangen to enter; **eingehend** detailed

ein-händigen to hand in, submit

die Einheit union; unit; **einheit-lich** uniform, homogeneous, unified

sich einig sein to agree

einige some, a few

sich **einigen** to agree

ein-laden, u, a to invite; die **Einladung, –en** invitation

einmal once; auf — suddenly; nicht — not even; noch — once more

ein-nehmen, nahm ein, eingenommen to take; occupy

ein-reißen, i, i to tear down

einsam lonely; die **Einsamkeit** loneliness

ein-schalten to turn on, switch on

die **Einschätzung** rating

sich **ein-schiffen** to embark

ein-schließen, o, o to include

ein-sehen, a, e to realize

einseitig one-sided

einst once

ein-üben to practice

der **Einwanderer, –** immigrant

die **Einzelheit, –en** detail; **einzeln** individual, single; **im einzelnen** in detail

einzig only; **einzigartig** unique

der **Eispanzer** armor of ice

die **Elastizitätslehre** the theory of elasticity

das **Elend** misery

empfangen, i, a to receive; greet; der **Empfänger, –** receiver; addressee

empfinden, a, u to feel, experience; die **Empfindung, –en** feeling, sensation; perception

empor'-wachsen, u, a (ist) to grow up, spring

das **Endergebnis, –se** final result; **endgültig** final; definite; **endlich** final(ly); ultimately; die **Endphase, –n** final stage, final period; das **Endstadium, –stadien** final stage

eng narrow; close

entdecken to discover; reveal, disclose; der **Entdecker, –** discoverer; der **Entdeckerruhm** fame as discoverer; die **Entdeckung, –en** discovery; die **Entdeckungsfahrt, –en** expedition

die **Entfaltungsmöglichkeit, –en** possibility for development

die **Entfernung, –en** distance; sich **entfernen** to move away

entfernt distant; slightly; — **sein** to be away, be removed

entgegen-gehen, ging entgegen, ist entgegengegangen to approach

enthalten, ie, a to contain

die **Enthauptung** beheading

entkräften to weaken, exhaust

entladen, u, a to discharge; die **Entladung, – en** discharge

entlang along

entlassen, ie, a to dismiss, discharge

entmutigen to discourage, dishearten

entnehmen, entnahm, entnommen to take from

entschädigen to compensate

entscheiden, ie, ie to decide

sich **entschließen,** o, o to decide; der **Entschluß, "e** decision

sich **entschuldigen** to excuse oneself

entsprechen, a, o to correspond to, go hand in hand (with)

entstehen, entstand, entstanden (ist) to originate, come into being; die **Entstehung** rise; origin

enttäuscht disappointed; die **Enttäuschung, –en** disappointment

entweder either

entwerten to depreciate

(sich) **entwickeln** to develop; die **Entwicklung, –en** development; das **Entwicklungsgesetz, –e** law of development; **entwicklungslos** without development; die **Entwicklungsstufe, –n** stage of development

erbetteln to obtain by begging, beg

erbittern to embitter, incense

erblicken to see, discover

der **Erdkörper** globe

das **Ereignis, –se** event

erfahren, u, a to experience; hear, find out, learn; die **Erfahrung, –en** experience erfassen to seize, grasp, comprehend

die Erfindung, –en invention

der Erfolg, –e success; erfolglos unsuccessful, ineffectual; erfolgreich successful; der Erfolgreiche successful person

erforschen to investigate, examine; die Erforschung investigation; exploration

erfreuen to give pleasure

erfüllen to fulfill; erfüllt sein to be filled

ergänzen to supplement

das Ergebnis, –se result

ergreifen, i, i to take up

erhalten, ie, a to get, obtain, receive; sich — preserve

sich erheben to rise; erhebend sublime

erhoffen to hope for

erinnern to remind; sich erinnern to remember; die Erinnerung memory

sich erkälten to catch cold; die Erkältung, –en cold

erkennen, a, a to perceive, recognize; detect; die Erkenntnis, –se knowledge; realization; finding

erklären to explain; announce; die Erklärung, –en explanation

erlauben to permit; die Erlaubnis permission

erleben to live to see; experience; das Erlebnis, –se experience; die Erlebniskraft energy of experience; die Erlebnisweise manner of experiencing life

erlegen to kill (of animals)

die Erleichterung relief

erlernen to master

erliegen, a, e to succumb

erloschen (p.p.) extinguished; inactive

erlösen to save; die Erlösung salvation, redemption

ermöglichen to make possible

ermorden to murder, assassinate;

der Ermordete, –n the murdered man

ermüden to tire out; ermüdet tired

ernähren to feed; support

erneut renewed

erniedrigen to reduce, lower

ernst serious; ernsthaft serious; ernstlich seriously

ernten to harvest; earn

erobern to conquer; der Eroberer, – conqueror

erraten, erriet, erraten to guess

erreichen to reach; attain; achieve

erretten to save, rescue

sich erschaffen, erschuf, erschaffen to create for oneself

erscheinen, ie, ie to appear; seem; das Erscheinen appearance; die Erscheinung, –en phenomenon

erschlagen, u, a to kill, slay

die Erschöpfung exhaustion

erschüttern to move; affect

ersetzen to replace

erst– first; adv. not until; only; die Erstaufführung, –en first performance

das Erstaunen astonishment; erstaunlich astonishing; das Erstaunliche the astonishing aspects; erstaunt astonished

erstens firstly

sich erstrecken to extend

ertönen to sound, resound

ertragen, u, a to bear

erwachen to awake

erwachsen (p.p.) grown-up; der Erwachsene, –n grown-up, adult

erwähnen to mention

erwarten to expect; die Erwartung expectation

erwecken to awaken

erweitern to enlarge, extend

erwerben, a, o to acquire, earn

erzählen to tell

die Erziehung education

ethisch ethical; e'thisch-sozial' ethical-social

der Ethnolo'ge, –n, –n ethnologist, anthropologist

etwa approximately; perhaps

etwas something, somewhat

evange'lisch evangelical, Protestant

ewig eternal, everlasting

das Expeditionsmitglied, –er member of an expedition

der Experimental'physiker, – experimental physicist

fabelhaft fabulous

der Fachman, –leute expert; die Fachsprache, –n professional terminology

fähig capable

die Fahrt, –en trip, journey

der Fall, "e case, instance

der Fang catch, capture; fangen, i, a to catch

die Farbe, –n color; färben to color

fast almost

die Faustdichtung, –en literary treatment of the Faust legend; faustisch Faustian

der Faustkämpfer, – boxer

die Faustsage –n Faust legend; das Faustspiel –e Faust play

das Federmesser, – penknife

die Fee, –n fairy

fehlen to be absent, be lacking; fehlend missing

die Fehlerquelle, –n source of error

feiern to celebrate, praise; der Feiertag, –e holiday

der Feind, –e enemy; die Feindschaft, –en hostility

der Fels, –en, –en rock; das Felsenstück, –e piece of rock

die Ferien (pl.) vacation

fern far, distant; die Ferne distance

fertig ready, finished; fertig-stellen to finish

fest firm, permanent; (sich) festhalten to hold, keep, cling

festlich festive

fest-stellen to state; determine, establish; die Feststellung, –en statement; determination

die Festung, –en fortress

fett fat

feucht damp

der Filmstern, –e motion-picture star

finster dark; die Finsternis darkness

flackern to flicker

flattern to flutter

der Fleck, –en spot

fliehen, o, o (ist) to flee

der Fluß, "e river; die Flußkultur, –en river-culture

die Folge, –n consequence; folgen to follow; pursue; obey; im folgenden in the following

fördern to further, promote; die Förderung, –en promotion

die Form, –en form, shape

die Formel, –n formula

das Forschen research, exploration; der Forscher, – research worker, scientific investigator; die Forschung, –en research; die Forschungsarbeit, –en research; die Forschungsreise, –n exploration trip; der Forschungsreisende, –n, –n explorer

das Fortbestehen continuation, continuance

fort-fahren, u, a, (ist) to continue

fort-führen to continue; to go on

fort-reiten, i, i (ist) to ride away

der Fortschritt, –e progress, advance

fort-setzen to continue

die Frage, –n question; problem; Fragen stellen to ask questions; nicht in — kommen to be out of question; fragen to ask; es fragt sich the question is; fraglich questionable

fränkisch Franconian

(das) Frankreich France

der Franzo'se, –n, –n Frenchman; franzö'sisch French

die Frechheit, –en insolence

die Fregat'te, –n frigate

frei free; im Freien in the open; die Freigebigkeit generosity; die Freiheit freedom; freiwillig voluntarily fremd strange, foreign, unknown

fressen, a, e to eat (*of animals*)

die Freude, –n joy, delight, pleasure; die Freudenträne, –n tear of joy; freudig joyful; sich freuen über to be happy about

freundlich friendly; freundschaftlich friendly

der Friede, –ns, –n peace, harmony; friedlich peacefully, harmoniously

fröhlich happy, gay

fruchtlos fruitless

früh early

der Frühling, –e spring

die Frühzeit early period

führen to lead, take; der Führer, – leader

der Fund, –e find, discovery

die Fundstelle, –n place of discovery

funkeln to sparkle

die Furcht fear; furchtbar terrible, dreadful, horrible

(sich) fürchten to fear, be afraid; fürchterlich terrible, frightful

der Fuß, ⁒e foot; zu — on foot; der Fußgänger, – hiker

die Gabelung, –en bifurcation

ganz all, whole, complete, entire; very, quite, altogether

gar quite; — nicht not at all

die Gastfreundschaft hospitality; der Gastgeber, – host; der Gasthof, ⁒e inn; das Gastmahl, ⁒er banquet

der Gatte, –n, –n husband

das Gebäude, – building, structure

geben, a, e to give; es gibt there is, there are

das Gebet, –e prayer

das Gebiet, –e sphere, field; territory

gebildet educated; die Gebildeten educated (people)

das Gebirge, – mountain

geboren (*p.p.*) born; Geborene (*pl.*) persons born

das Gebot, –e commandment

der Gebrauch use; gebrauchen to use

das Gebrüll roar

der Geburtstag, –e birthday

das Gedächtnis memory

der Gedanke, –n, –n thought, idea; die Gedankenfülle abundance of ideas; die Gedankenkette, –n chain of ideas; die Gedankentiefe depth of thought; die Gedankenwelt world of ideas

das Gedicht, –e poem

die Geduld patience; geduldig patient(ly)

die Gefahr, –en danger; gefährlich dangerous

gefallen, ie, a to like

das Gefangenenlager, – prison-camp

gefeiert (*p.p.*) celebrated

das Gefieder, – feathers, plumage

geflügelt (*p.p.*) winged

das Gefühl, –e feeling

gegen against; toward

die Gegend region, neighborhood

der Gegengrund, ⁒e contrary reason; der Gegensatz, ⁒e contrast, opposition, antithesis; der Gegenstand, ⁒e object; das Gegenteil, –e contrary

gegenüber opposite; compared with; gegenüber-stellen to contrast

die Gegenwart presence

der Gegner, – opponent

der Gehalt content

das Geheimnis, –se secret

der Geheimrat, ⁒e privy councillor

das Geheul howling

gehören to belong

der Geist, –es spirit, mind, genius; ghost; die Geistererscheinung, –en (ghostly) apparition; das Geistesleben intellectual life; geistig intellectual, mental; geistlich religious, spiritual; der Geistliche, –n clergyman, minister

das Gekreisch screaming

gelangen to reach, get to

der **Geldmangel** lack of money

die **Gelegenheit**, –en opportunity, occasion; **gelegentlich** occasional(ly)

gelehrt (*p.p*) learned; der **Gelehrte**, –n, –n scholar; die **Gelehrtenarbeit**, –en scholarly work; das **Gelehrtengesicht** face of a scholar

gelernt (*p.p.*) trained

geliebt (*p.p.*) beloved

der **Geliebte**, –n, –n beloved, sweetheart

gelingen, a, u (ist) to succeed

gelten, a, o to be valid; — *with dative* be directed to; — als be looked upon as; — von apply to

gemein common, ordinary; in common; der **Gemeinbesitz** common possession; **gemeinsam** common

genau exact; — so just as; die **Genauigkeit** exactness

genial' ingenious, original; das **Genie'**, –s genius

genießen, o, o to enjoy

genügen to suffice; **genügend** enough; sufficiently

die **Genugtuung** satisfaction

der **Genuß**, ᵘe enjoyment

der **Geodät'**, –en, –en geodetic surveyor

gerade just, happened to be

geraten, ie, a (ist) to become involved

das **Geräusch**, –e noise

gerecht just; die **Gerechtigkeit** justice

gering small, little; im –sten in the least

das **Gesamtwerk**, –e complete work

der **Gesang**, ᵘe song

das **Geschäft**, –e business; **geschäftlich** business (*adj.*); die **Geschäftsbeziehungen** (*pl.*) business connections; das **Geschäftshaus**, ᵘer firm; das **Geschäftsleben** business life; der **Geschäftsmann**, –leute businessman

geschehen, a, e (ist) happen, be done; das **Geschehnis**, –se event, happening

das **Geschenk**, –e gift

die **Geschichte**, –n story; history; **geschichtlich** historical; der **Geschichts'philosoph'**, –en, –en philosopher of history; die **Geschichts'philosophie'** philosophy of history; **geschichts'philoso'phisch** historical–philosophical; das **Geschichtswerk**, –e book of history, historical work; die **Geschichtswissenschaft** science of history

das **Geschick** fate, destiny; skill

geschickt skilful

der **Geschmack** taste

das **Geschoß**, –e projectile; der **Geschoßteil**, –e shell splinter

das **Geschrei** shouting

geschult (*p.p.*) trained, educated

die **Geschwindigkeit** speed

die **Gesellschaft**, –en company, society; das **Gesellschaftsleben** social life; der **Gesellschaftsmensch**, –en, –en society man

das **Gesetz**, –e law

das **Gesicht** face; der **Gesichtskreis**, –e (mental) horizon; der **Gesichtspunkt**, –e point of view

das **Gespräch**, –e conversation

die **Gestalt**, –en form; shape

gestatten to allow, permit

gesund well, healthy

die **Gewaltherrschaft** despotism; **gewaltig** enormous, huge

das **Gewand**, ᵘer garment, gown

gewandt clever, expert

das **Gewehr**, –e gun, rifle

gewillt sein to be willing

der **Gewinn**, –e profit; **gewinnen**, a, o to win

gewöhnt sein to be accustomed

gewiß certain, indeed; in gewissem Sinne in a sense

das **Gewissen** consciousness, conscience

die **Gewißheit** certainty, assurance

das **Gewitter,** – thunderstorm

sich **gewöhnen** to get accustomed; **gewöhnt sein** to be accustomed; **gewöhnlich** ordinary, usual

der **Gipfel,** – top, peak

der **Gladiato′renkampf,** ″e gladiatorial fight

der **Glanz** splendor; **glänzend** brilliant, splendid

die **Glasröhre,** –n glass tube

der **Glaube,** (*gen.*) –ns belief, faith; der **Gläubige,** –n believer

gleich *adv.* at once; *adj.* same; **gleichzeitig** contemporary; simultaneous

der **Glockenschlag,** ″e stroke of the clock

das **Glück** happiness, luck, good fortune; **glückbringend** bringing good luck, fortunate; **glücklich** happy, fortunate; **glücklicherweise** fortunately

glühen to glow; **glühend** glowing, fiery

die **Goldgier** greed for gold; der **Goldschatz,** ″e gold treasure; der **Goldschimmer,** – golden glimmer; die **Goldschmiedekunst** goldsmith's art; der **Goldschmuck** golden ornaments

gotisch Gothic

die **Göt′terfigur′,** –en idol; der **Gottesglaube,** (*gen.*) –ns belief in God; **göttlich** divine

das **Grab,** ″er grave, tomb; **graben,** u, a to dig

der **Graf,** –en, –en count

die **Gramma′tik,** –en grammar

grausam cruel

die **Grenze,** –n bound, boundary

der **Grieche,** –n, –n Greek; (das) **Griechenland** Greece; die **Griechenliebe** love for Greece; das **Griechenmädchen,** – Greek girl; die **Griechensehnsucht** longing for Greece; die **Griechenverehrung** worship of the Greek; die **Griechin,** –nen Greek

woman; **griechisch** Greek; das **Griechisch** Greek

grimmig grim

grob coarse, rude, bad

groß big, great; tall; important, extensive; **großartig** grand; die **Größe,** –n greatness, magnitude; der **Großkaufmann,** –leute wholesale merchant; die **Großtat,** –en noble achievement; die **Großstadt,** ″e large town

der **Grund,** ″e reason; der **Grundgedanke,** –ns, –n fundamental idea; die **Grundlage,** –n basis, foundation; **grundlegend** fundamental; **gründlich** thorough(ly); die **Gründlichkeit** thoroughness; der **Grundriß,** –e ground plan; **grund′verschie′den** entirely different; der **Grundzug,** ″e characteristic feature

günstig favorable, friendly

der **Gürtel,** – belt

die **Gymnasial′bildung** Gymnasium education; das **Gymna′sium** (German) gymnasium (*a secondary school*)

die **Haar′frisur′,** –en head-dress, coiffure

der **Hafen,** ″n harbor; die **Hafenstadt,** ″e seaport

die **Halbinsel,** –n peninsula

halten, ie, a to hold; — **für** consider, take for; der **Haltepunkt,** –e stop

die **Hamletklage,** –n Hamlet's lament

handeln to act; — **von** deal with; sich — **um** be a question of; der **Han′delsarti′kel,** – article of trade, commodity; das **Handelsinteresse,** –n commercial interests; die **Handelsmesse,** –n trade fair; die **Han′delsstati′stik** commercial statistics; die **Handlung,** –en action; plot

der **Handwerker,** – craftsman

hängen, i, a to hang; cling to

der **Haß** hatred; **hassen** to hate
hauen to cut
der **Haufen,** – pile
häufig frequent
der **Häuptlingssohn,** ͞e chief's son
hauptsächlich particularly, chiefly;
die **Hauptstadt,** ͞e capital; der
Hauptstrom, ͞e main river; der
Hauptzweck main purpose
hausen to live, house; **häuslich** domestic
heben, o, o to raise, lift
der **Heilige,** –n, –n saint
die **Heimat** homeland; die **Heimatstadt,** ͞e hometown
die **Heirat,** –en marriage; **heiraten** marry
heißen, ie, ei to be called; mean;
d.h. = das heißt that is
der **Held,** –en, –en hero; **heldenhaft** heroic; die **Heldensage,** –n
heroic legend; die **Heldin,** –nen
heroine
hellbraun light brown
herab'-sinken, a, u (ist) to fall,
drop
heran'-kommen, a, o (ist) to approach
heran'-wachsen, u, a (ist) to grow
up
heraus-heben, o, o to stress
heraus'-kommen, a, o (ist) to get
out of
heraus'-nehmen, a, o to take out
der **Herbst,** –e fall, autumn
herein'-stürmen (ist) to rush in
der **Herr,** –n, –en master, Lord;
herrlich magnificent, wonderful;
herrschen to dominate; prevail;
der **Herrscher,** – ruler, master;
die **Herrschaft** rule
herum' around
herum'-wandern (ist) to wander
about
der **Herzog,** ͞e duke; die **Herzogin,**
–nen duchess; das **Herzogtum,**
͞er duchy
das **Heu** hay
heutig of today, modern

die **Hilfe** help, aid; relief; **hilflos**
helpless
der **Himmel** heaven, sky; die **Himmelsräume** (*pl.*) the heavens;
die **Himmelssehnsucht** longing
for heaven; **himmlisch** heavenly;
celestial
hin und her back and forth; **hin**
und wieder now and then
hinab'-fahren, u, a (ist) to travel
down
hinab'-reiten (ist) to ride down
hinauf' up
hinaus'-gehen (ist) to go out; —
über — to go beyond, exceed
hindern to hinder, prevent; das
Hindernis, –se hindrance, obstacle
hindurch'-graben to dig through
hingestreckt (*p.p.*) stretched out
sich **hin-setzen** to sit down
hinsichtlich with regard to
der **Hintergrund** background
hinterher afterwards
hinterlas'sen, ie, a to leave, leave
(behind)
hin-weisen, ie, ie to point out
hinzu'-fügen to add
hochbegabt highly gifted; **hochgewachsen** tall; die **Hoch'kultur',**
–en highly developed culture;
höchst highly; **höchstentwickelt**
most highly developed
der **Hof,** ͞e court; die **Hofdame,** –n
lady in waiting; der **Hof'komponist',** –en, –en court composer;
höflich polite
die **Höhe,** –n height, top; elevation,
altitude; die **Höhenlinie,** –n contour; die **Höhenmessung,** –en
hypsometry, measurement of
heights; das **Hö'henprofil'** profile
of elevation; der **Höhepunkt,** –e
peak; climax
holen to get, fetch
holländisch Dutch
die **Hölle** hell; die **Höllenangst,** ͞e
fear of hell; der **Höllenbesucher,**
– visitor of the Inferno; die

Höllenfahrt, –en descent into hell; das Höllenfeuer, – hell's fire; höllisch hellish, infernal; of hell

das Holz wood; hölzern wooden; der Holztisch, –e wooden table

der Hotelbesitzer, – hotel owner

hübsch pretty

der Hügel, – hill

die Hungersnot, "e famine

hüpfen to hop

der Hut, "e hat

immer always; — weniger less and less; — wieder again and again

imponie'ren to impress

der Indigohandel indigo trade

der Industrie'betrieb, –e industrial concern

infolgedes'sen because of that

innen; von — from within; das Innere interior; innerhalb within

die Insel, –n island; der Inselberg, –e insular mountain

sich interessie'ren für be interested in

inwiefern' to what extent

inzwi'schen meanwhile

irgendein any, some; irgendwo somewhere

sich irren to err; der Irrtum, "er error

die Ita'lienreise, –n trip through Italy

das Jagdhaus, "er hunting lodge; der Jagdzug, "e hunting expedition; jagen to hunt; to chase; drive out; der Jäger, – hunter, game keeper

jahrelang for years; die Jahresmiete, –n year's rent; die Jahreszeit, –en season

das Jahrhun'dert, –e century; der Jahrhun'dertbeginn beginning of the century; jahrhun'dertelang for centuries; die Jahrhun'dertmitte middle of the century; die

Jahrhun'dertwende turn of the century

das Jahrzehnt', –e decade; jahrzehn'telang for decades

je ever

jedenfalls at any rate

jedesmal each time

jedoch' however

jenseitig (lying) beyond, hereafter

die Jugend youth; jugendlich youthful; die Jugenderziehung training of youth

die Jungfrau maiden

das Kaffeehaus, "er café

der Kaiser, – emperor; die Kaiserin, –nen empress; kaiserlich imperial

der Kampf, "e fight, struggle; kämpfen to fight; struggle

der Kano'nendonner thunder of cannons

das Kap cape

das Kapital' capital, wealth

die Karte, –n chart, map

die Katho'denröhre, –n cathode tube; der Katho'denstrahl, –en cathode ray

kaufen to buy; der Kaufmann, –leute merchant

kaum hardly, almost not; scarcely

keinerlei of no sort; keineswegs by no means, not at all

kennen-lernen to get to know, become acquainted with; der Kenner, – expert; die Kenntnis, –se knowledge

der Kerl, –e fellow

die Kette, –n chain

kinderreich prolific

kindlich childlike

der Klang, "e sound

klassenlos without class-distinction

klatschen to clap

das Klavier', –e piano; der Klavier'virtuos', –en, –en virtuoso on the piano, pianist

das Kleid, –er dress

kleiden to dress; clothe

(das) **Kleina'sien** Asia Minor
kleinlich petty, trivial
das **Kleinstadtelend** small town misery; die **Kleinstadtenge** small town narrowness
klettern to climb
klingen, a, u to sound
klopfen to knock
klug smart; der **Klügere** the smarter person
die **Knabenjahre** (*pl.*) (years of) boyhood
knattern to crack
der **Knochen,** – bone; der **Knochenbau** bone structure; der **Knochenbruch,** ̎e bone fracture; **knöchern** of bone
der **Koch,** ̎e cook
das **Kolonial'reich,** –e colonial empire; der **Kolonial'spanier,** – colonial Spaniard
komisch comical
kommen, a, o (ist) to come; — zu to acquire
komponie'ren to compose; die **Komponier'methode,** –n way of composing; der **Komponist',** –en, –en composer
der **König,** –e king; **königlich** royal; die **Königsburg,** –en royal castle
konkurrie'ren to compete
das **Kopfweh** headache
der **Körper,** – body; der **Körperbau** bodily structure, constitution; **körperlich** bodily, physical
korrektur'frei free of corrections
kostbar precious; die **Kosten** (*pl.*) expense
die **Kraft,** ̎e force, strength, power, vigor; **kräftig** strong, healthy; **kraftvoll** vigorous, powerful; das **Kraftzentrum** power center
krank ill; **kränken** to provoke; offend; das **Krankenhaus,** ̎er hospital; die **Krankenpfleger** (*pl.*) male (or female) nurses; die **Krankenpflegerin,** –nen nurse
der **Kreis,** –e circle; **kreisend** circling around

kretisch Cretan
der **Krieg,** –e war; der **Krieger,** – warrior; der **Kriegsgrund,** ̎e reason for war; die **Kriegsunruhen** (*pl.*) war disturbances
die **Kristall'physik'** crystallographics
die **Kritik',** –en criticism; der **Kritiker,** – critic; **kritisch** critical
die **Krone,** –n crown
das **Kultur'paradies** cultural paradise; die **Kultur'schicht,** –en layer of culture
sich **kümmern** um to be concerned with
der **Kunde,** –n, –en customer, client
die **Kunst,** ̎e art; der **Künstler,** – artist; **künstlerisch** artistic; **kunstvoll** artistic; das **Kunstwerk,** –e work of art
das **Kupfergefäß,** –e copper vessel
kürzen to shorten; **kürzlich** recently; **kurzwellig** short-wave
die **Küste,** –n coast; das **Küstengebiet,** –e coastal territory; die **Küstenstadt,** ̎e coastal town

lächeln to smile; **lächerlich** ridiculous
laden, u, a to load
die **Lage** situation; condition; circumstances; location; position
lähmen to paralyze
die **Laie,** –n, –n layman; der **Laienkreis,** –e circle of laymen
der **Landbesitzer,** – land-owner; das **Landhaus,** ̎er country-home; die **Landschaft,** –en landscape; der **Landsmann,** –leute fellow countryman; die **Landvermessung,** –en land survey; die **Landzunge,** –n spit (of land)
lang long; eine Weile — for a while; **lange** for a long time; die **Länge** length; **längst** long ago
langweilen to bore
der **Lärm** noise
die **Last,** –en load

die **Laufbahn** –en career; **laufen**, ie, au (ist) to run, go; der **Laufjunge**, –n errand-boy

der **Laut**, –e sound

leben'dig alive, living; **–machen** bring back to life

die **Lebensanschauung**, –en view of life; die **Lebensaufgabe**, –n life-work; die **Lebensbeschreibung**, –en biography; die **Lebensfreude** joy of life; die **Lebensgeschichte**, –n life history, biography; das **Lebensjahr**, –e year of (one's) life; die **Lebenskraft**, ″e vigor; der **Lebensraum**, ″e living space; der **Lebenstraum**, ″e life-dream; die **Lebensweise**, –n mode of living

die **Leber** liver; die **Leberwurst**, ″e liver sausage

das **Lebewesen**, – living creature; **lebhaft** vivid

der **Lederstrumpf** leatherstocking

leer empty

legen to lay, put

das **Lehrbuch**, ″er text book; die **Lehre**, –n doctrine, teaching; der **Lehrling**, –e apprentice; die **Lehrtätigkeit** teaching activity; **theolo'gische —** teaching of theology

der **Leib**, –er body

das **Leid**, –en sorrow, pain; suffering; grief; **leiden**, litt, gelitten to suffer; das **Leiden**, — suffering; **leidenschaftlich** passionate, ardent; das **Leidensjahr**, –e year of suffering

leider unfortunately

leisten to achieve, accomplish, do; die **Leistung**, –en achievement

leiten to direct; der **Leiter**, – manager, head, director; der **Leitstern** guiding-star; die **Leitung** direction

die **Lektü're** reading

die **Leute** (pl.) people

das **Lichtpünktchen**, – (small) dot of light; **lichtempfindlich** sensitive (to light); der **Lichtschimmer**, – gleam; das **Lichtschwert**, –er sword of light; der **Lichtträger**, – bearer of light; **lichtundurchlässig** light-tight, opaque; die **Lichtundurchlässigkeit** opacity

lieb dear; die **Liebe** love; der **Liebende**, –n, –n lover; der **Liebesbund** love-alliance; die **Liebesgeschichte**, –n love-affair; die **Liebesszene**, –n love-scene

liegen, a, e to lie, be situated

die **Linie**, –n line; here outline

die **Literatur'schöpfung**, –en literary creation

das **Lob** praise; **loben** to praise

das **Loch**, ″er hole

die **Loge**, –n box (in theater)

der **Lohn**, ″e compensation, reward; wages

das **Los**, –e lot, fate

los-brechen, a, o to break off; burst out

lösen to solve; work out

los-kommen (ist) to get away

sich los-machen to free (oneself)

die **Luft**, ″e air

der **Luftdruck** atmospheric pressure

die **Lust** pleasure, delight

lustig merry, jolly, gay; **sich — machen über** to make fun of

machen to make; take

die **Macht**, ″e strength, power; die **Machtgier** greed for power; **mächtig** mighty, powerful; der **Machtwille** desire for power

das **Mal** time; **mit einem —** suddenly

malen to paint; der **Maler**, – painter

manchmal sometimes

der **Mangel**, ″ lack

mannigfaltig manifold, various

die **Manuskript'seite**, –n page of manuscript

das **Märchen**, – fairy tale; das **Märchendorf**, ″er fairy tale vil-

lage; der Märchenerzähler, –
teller of fairy tales; märchenhaft
fabulous; das Märchenland fairy-
land; die Märchenlandschaft,
–en fairy tale landscape; das
Mär'chenmotiv', –e motif of the
fairy tale; die Märchensammlung, –en collection of fairy tales;
der Märchenwald, "er fairy tale
forest

der Marktplatz, "e market-place

der Mar'morkoloss', –e marble co-
lossus; der Mar'morpalast', "e
marble palace; die Marmorstadt,
"e marble city

das Massenelend misery of the
masses; das Massengrab, "er
common grave

der Maßstab, "e scale, standard;
measure

die Mauer, –n wall

das Maultier, –e mule

das Medikament', –e medicine,
drug

das Meer, –e sea, ocean; der
Meeresboden ocean floor; die
Meeresenge, –n straits; die
Meeresküste, –n sea-coast; das
Meeresleuchten phosphorescence
of the sea; der Meeresspiegel sea
level; die Meeresströmung, –en
ocean current; das Meeresufer,
– seashore

mehrere several

die Mehrheit, –en majority

die Meinungssache, –n matter of
opinion

meistens mostly

der Meister, – master; maestro;
meisterhaft masterly; das Meisterwerk, –e masterpiece

melden to announce

das Menschengesetz, –e man's law;
die Menschenliebe love of men;
die Menschenseele, –n human
soul; die Menschheit mankind,
humanity; die Menschheitsge-
schichte, –n history of mankind;
menschlich human; humane

messen, a, e to measure; survey; die
Messung, –en measuring; survey

das Metall'stück, –e metal piece

der Militär'arzt, "e army-surgeon

mischen to mix

mißach'ten to disregard; despise

der Mißerfolg, –e failure

der Missions'arzt, "e missionary
physician; das Missions'blatt, "er
missionary bulletin; die Missions'gesellschaft, –en missionary society

das Mißtrauen mistrust, distrust;
mißtrauisch suspicious

mißverstehen, mißverstand, mißverstanden misunderstand; das Miß-
verständnis, –se misunderstand-
ing; misconception

die Mitarbeit collaboration; der
Mitarbeiter, – collaborator, col-
league

mit-bringen, brachte mit, mitgebracht to bring along

der Mitbürger, – fellow-citizen

miteinan'der with one another

mit-geben, a, e to give (along)

das Mitgefühl sympathy

das Mitglied, –er member

das Mitleid pity, sympathy

der Mitmensch, –en, –en fellow
man

der Mitschüler, – fellow pupil

das Mittel, – means; das Mittelalter Middle Ages; mittelalter-
lich medieval

mittellos without means, destitute

mittelmäßig average, mediocre; die
Mittelmäßigkeit mediocrity

das Mittelmeergebiet, –e region of
the Mediterranean Sea

der Mittelpunkt, –e center; der
Mittelweg, –e middle course

mittler– middle, central

mögen, mochte, gemocht may, like

möglich possible; die Möglichkeit,
–en possibility; potentiality

monatlich monthly

der Mönch, –e monk

das Moos, –e moss

der Mörder, – murderer; die Mörderin, –nen murderess; mörderisch murderous

der Mordversuch, –e attempt at murder

der Moski'tostich, –e mosquito bite

das Motiv', –e motive; subject, motif

die Müdigkeit tiredness

die Mühe –n toil, effort; trouble

mumifiziert' (p.p.) mummified

der Mund mouth; mündlich oral

murmeln mutter; whisper

der Musikant', –en, –en musician

das Musik'drama, –dramen opera; der Musiker, – musician; der Musik'forscher, – music scholar; der Musik'freund, –e lover of music; der Musik'kenner, – musical expert; musik'liebend music-loving

der Mut courage; mutig courageous

mütterlicherseits on the mother's side; die Muttersprache mother tongue

myke'nisch Mycenaean

die Mythe, –n myth

nach to; after; according to

nach-denken, dachte nach, nachgedacht to think, reflect; consider; das Nachdenken reflection

nach-geben, a, e to give in, yield

der Nachhauseweg the way home

nach-jagen to chase (after)

die Nachkriegsjahre (pl.) postwar years

nach-lassen, ie, a to grow less

die Nachricht, –en news

nächst next, closest

die Nacht, ̈e night

der Nachteil, –e disadvantage

nächtlich nightly; dark; nachts at night; der Nachtwächter, – nightwatchman; das Nachtwächterhorn, ̈er night-watchman's horn;

das Nachtwächterlied, –er nightwatchman's song

die Nachwelt posterity

nahe near; näher nearer, more closely; nächst closest; die Nähe vicinity; sich nahen to approach

die Nahrung food

naiv' naive, artless

namentlich especially

nämlich namely, that is to say

naß wet, damp

die Natur'beseelung animation of nature; die Natur'erscheinung, –en phenomenon of nature; der Natur'forscher, – scientist, naturalist; die Natur'geschichte natural history; der Natur'laut, –e sound of nature; die Natur'lehre natural science; natür'lich naturally; natur'liebend nature-loving; die Natur'wissenschaft, –en natural science; der Natur'wissenschaftler, – scientist; natur'wissenschaftlich scientific

n. Chr. (nach Christus) A.D.

der Nebel, – fog; der Nebelstern, –e nebulous star

der Nebenstrom, ̈e tributary

nebenbei besides

die Nebenbeschäftigung side-occupation, secondary occupation

neblig foggy

der Neger, – Negro; das Negermärchen, – Negro fairy tale; der Negerstamm, ̈e Negro tribe

der Neid envy; neidisch envious

nennen, nannte, genannt to name, mention, call

das Netz, –e net

neu new; von neuem anew; die Neuerung, –en innovation

die Neugierde curiosity; neugierig curious; der Neugierige, –n, –n curious person

das Neugrie'chische Modern Greek

nichtdeutsch non-German

nie never

nieder-schreiben, ie, ie write down

niemand no-one
noch still; — einmal once again;
— nie never before
nordisch northern
die Not, *ᵘ*e trouble, difficulty;
want, need
das Notenpapier music-paper
nötig necessary, required
die Nummer, –n number
der Nutzen usefulness, profit

ob whether
oben above
ober upper; (das) Oberbayern Upper Bavaria; (das) Oberita'lien
Upper Italy
obwohl' although
der Ofen, *ᵘ* stove
offen open; public; die Offenherzigkeit frankness; offensichtlich
obviously
das Ohrenleiden infection of the
ear
die Opernbühne, –n opera stage;
das Opernglas, *ᵘ*er opera glass;
der Opernspielplan, *ᵘ*e opera
repertoire
das Opfer, – sacrifice; victim
der Orden, – decoration, medal
die Orgel, –n organ; der Orgelbau
organ building; das Or'gelkon-
zert', –e organ concert; das Or-
gelspiel organ playing; der Orgelspieler, – organ player, or-
ganist
der Ort place, spot; die Ortsbe-
stimmung, –en fixing of position
(das) Österreich Austria; der
Österreicher, – Austrian

paar; ein paar a few
der Palast', *ᵘ*e palace
der Pappmantel, *ᵘ*e cardboard casing
das Parkett', –e main floor
der Paß, Pässe passport
das Patent'amt, *ᵘ*er patent office
die Pause, –n intermission
das Pergament', –e parchment

die Person', –en person; character;
die Persön'lichkeit personality
die Pest plague
das Pfarrhaus, *ᵘ*er parsonage
das Pfeifchen, – (small) pipe
das Pferd, –e horse
die Pflanze, –n plant
die Pflicht, –en duty
die Phantasie', –en imagination;
das Phantasie'kostüm', –e fancy
costume; die Phantasie'welt, –en
imaginary world
der Phantast', –en, –en visionary
phili'sterhaft narrow-minded
der Philolo'ge, –n, –n philologist
das Philosophie'ren the philoso-
phizing
die Pinië, –n nut-pine
planmäßig according to plan, sys-
tematic
das Plättchen, – small thin plate;
die Platte, –n plate
plötzlich sudden(ly)
die Poesie' poetry
die Pole'mik controversy
das Polytech'nikum technical college
prächtig magnificent
der Prager, – inhabitant of Prague;
adj. of Prague
der Prediger, – preacher, minister
das Preisgeld, –er prize money
der Preuße, –n, –n Prussian
die Primiti'ven (*pl.*) the primitive
people
prinzipiell' on principle
der Prioritäts'anspruch, *ᵘ*e claim to
priority
die Probe, –n rehearsal; sample
die Professur', –en professorship
die Profit'gier greed for profit; profit'gierig profit greedy
die Prosa prose
prüfen to examine, test
der Prunk splendor
das Publikum public, audience
der Punkt, –e point; — sieben Uhr
seven o'clock sharp
der Puppenfaust Faust-puppet;

das **Puppenspiel,** –e puppet-play; die **Puppenspielfabel,** –n puppet-play legend; das **Puppenthea'ter** puppet-theater

der **Pyrami'denbauer,** – pyramid builder

die **Quelle,** –n spring

das **Quadrat',** –e square

der **Rabe,** –n, –n raven

die **Rache** vengeance; sich **rächen** to take revenge

der **Rachen** jaws, mouth

die **Radikal'kur,** –en radical cure

der **Rand,** ⁺er edge, rim

die **Rasse,** –n race; das **Rassenvorurteil,** –e race prejudice

rastlos restless, indefatigable

der **Rat** advice; **raten,** ie, a to advise; der **Ratgeber,** – councilor

das **Rätsel,** – riddle, puzzle

der **Räuber,** – robber

der **Rauch** smoke; **rauchen** to smoke; der **Raucher,** – smoker; die **Rauchwolke,** –n cloud of smoke

reagie'ren to react, respond, take notice

reali'stisch realistic, naturalistic

rechnen to count

recht right; true; quite; — **haben** be right; — **geben** to agree with; das **Recht** right, claim; **rechtzeitig** in time

die **Rede,** –n speech; der **Redner,** – speaker

die **Regel,** –n rule

der **Regen** rain

regie'ren to govern, rule; die **Regie'rung,** –en government; der **Regie'rungsbeamte,** –n, –n government official

das **Reich,** –e realm; das **Deutsche** — Germany; das — **Gottes** the Kingdom of God

der **Reichtum,** ⁺er riches

reif ripe; mature

die **Reihe,** –n row, series; file

rein pure

die **Reise,** –n journey, trip; das **Reisebuch,** ⁺er book of travels; der **Reisegenosse,** –n, –n fellow traveller; die **Reisekosten** (*pl.*) travel expenses; **reisen** (ist) to travel; der **Reisende,** –n, –n traveller; der **Reisewagen,** – travelling coach; das **Reisewerk,** –e book of travels

reiten, ritt, ist geritten to ride (on horseback)

die **Rekla'me** advertisement; propaganda

der **Rektor,** –s, –en president

der **Renaissance'mensch,** –en, –en Renaissance man

der **Rest,** –e rest, remainder; *pl.* remains

retten to save, rescue; die **Rettung** rescue

reuig penitent

rezitie'ren recite

richten to direct; die **Richtung,** –en direction

der **Riese,** –n, –n giant; der **Rie'senorganis'mus,** –men gigantic organism; das **Riesenreich,** –e huge empire; die **Riesensumme,** –n gigantic sum; das **Riesenwerk,** –e gigantic work, gigantic undertaking; **riesig** gigantic, colossal

die **Ringmauer,** –n city wall

der **Rock,** ⁺e coat

die **Röhre,** –n tube

das **Rokokopublikum** rococo public

die **Rolle,** –n roll; part

roma'nisch Romanesque

die **Roman'tik** romanticism; der **Roman'tiker** romanticist

römisch Roman

der **Rönt'genapparat',** –e X-ray apparatus; die **Röntgenaufnahme,** –n X-ray picture; das **Röntgenbild,** –er X-ray picture; der **Röntgenstrahl,** –en X-ray; der **Röntgenstrom** Röntgen-current (das) Rotkäppchen Little Red Riding Hood; rötlich reddish

der Rücken, – back

der Ruderer, – rower; rudern to row

der Ruf, –e cry, call; rufen, ie, u to call, shout; summon

die Ruhe rest, peace; ruhen to rest

der Ruhm fame

(das) Rußland Russia; die Russin, –nen Russian woman

der Saal, Säle hall

der Sack, "e sack, bag

die Sage, –n legend; sagenhaft legendary, mythical; die Sagenstadt, "e legendary city

der Salon', –s, –s drawing room

sammeln to collect; die Sammlung, –en collection

der Sänger, – singer

sauber clean

der Sauerstoff oxygen

der Schädel, – skull

schädlich harmful

schaffen, schuf, geschaffen to create, originate; das Schaffen creation; die Schaffensfreude creative joy

der Schal, –e shawl

die Schamlosigkeit, –en shamelessness

die Schande disgrace

scharf sharp; am schärfsten sharpest; scharfäugig keen-eyed

der Scharlatan, –e charlatan, quack

der Schatten, – shadow; das Schattenbild, –er shadow, silhouette

der Schatz, "e treasure

schaudern to shudder

der Schauer, – awe

die Schaufelarbeit, –en shovel work

schäumen to foam

der Schauplatz, "e scene

das Schauspiel, –e spectacle, sight; der Schauspieler, – actor; die Schauspielerin, –nen actress

sich scheiden lassen to get a divorce

scheinbar apparent; scheinen, ie, ie to seem

schenken to give, present

die Schicht, –en layer, stratum

schicken to send

das Schicksal fate; die Schicksalsgöttinnen (pl.) Fates

schießen, o, o to shoot

der Schiffsjunge –n cabin-boy

die Schiffsmannschaft, –en crew

die Schika'ne, –n chicanery

die Schilderung, –en description

der Schimmer glimmer, gleam; schimmern to glimmer

der Schirm, –e screen

die Schlacht, –en battle

der Schlag, "e blow; schlagen, u, a to beat, strike

schlangenartig snake-like

schlank slim, slender

schlau smart

schlecht bad, wicked

die Schlichtheit simplicity

schließen, o, o to close; schließlich finally; eventually

schlimm bad; schlimmer worse; das Schlimmste the worst

das Schloß, "er castle

schlüpfen to slip

der Schluß, "e end, conclusion

der Schmerz, –en pain; sorrow; schmerzen to hurt; schmerzhaft painful

schmücken to adorn

der Schnaps, "e brandy

(das) Schneewitt'chen Snow White

schneiden, schnitt, geschnitten to cut

schön beautiful, handsome; die Schöne beauty; die Schönheit beauty; am schönsten most beautifully

der Schöpfer, – creator; die Schöpferkraft creative power; die Schöpfung, –en creation

die Schranke, –n barrier

der **Schrecken,** — fright, fear, horror; **schrecklich** horrible

schreien, ie, ie to cry out, scream

der **Schriftsteller,** – writer; **schriftstellerisch** literary; die **Schriftstellerlaufbahn,** –en career as a writer

der **Schritt,** –e step

die **Schuld,** –en fault; guilt; (*pl.*) debts; **schuld sein an** to be blamed for; **schuldig** guilty; der **Schuldige,** –n, –n the guilty one

die **Schul'tragö'die,** –n school tragedy; die **Schulzeit** school days

schütteln to shake

der **Schutz** protection

schwach weak; die **Schwäche** weakness; **schwächlich** sickly, delicate

die **Schweiz** Switzerland

schwer heavy; difficult, hard; serious, severe; die **Schwerkraft** gravity

schwierig difficult; die **Schwierigkeit,** –en difficulty, trouble

schwören, u, o to swear

das **Seebad,** "er seaside resort; die **Seefahrt,** –en (sea-) voyage; **seekrank** sea-sick

die **Seele,** –n soul; das **Seelenleben** spiritual life; **seelenlos** soulless; lifeless; der **Seelenvogel,** " soul bird; **seelisch** emotional

die **Seemacht,** "e sea power; der **Seemann,** –leute sailor

die **Sehnsucht** longing

seiden silk(en)

die **Seite,** –n page; aspect

selber oneself, himself, themselves; **selbst** himself, itself; even; die **Selbsterlösung** self-redemption; **selbstlos** unselfish; **selbständig** independent; **selbstverständlich** *adj.* self-evident; obvious; natural; *adv.* naturally

selten rare

seltsam extraordinary, strange

sezie'ren to dissect

sicher assured, certain; die **Sicher**-

heit safety, security; **sicherlich** surely, undoubtedly; **sichern** to secure

sichtbar visible, apparent

der **Sieg,** –e victory

das **Siegel,** – seal

das **Siegesdenkmal,** "er monument commemorating the victory

der **Sinn,** –e sense, meaning; understanding; **sinnlos** senseless, foolish

die **Sitte,** –n custom, use

der **Skelett'teil,** –e part of the skeleton

die **Skepsis** scepticism

die **Skizze,** –n sketch

die **Sklavin,** –nen (woman) slave

sofort' at once, immediately

sogar' even

sogenannt so-called

sola'nge as long as

sollen is to, is said to, is supposed to

die **Sommerhitze** summer heat

sonderbar odd, strange

sonnenklar clear as daylight, evident

die **Sorge,** –n worry, care, concern; **sorgen** to care for, look after; die **Sorgfalt** care; **sorgfältig** careful, accurate

soweit' as far as

sowie' as soon as; as well as

sowohl' wie as well as

der **Spaß,** "e fun

der **Spaten,** – spade

die **Spätzeit** late period; last period

der **Spazier'gang,** "e walk

die **Speise,** –n food

speziell' special, particular

das **Spiel,** –e play

die **Spinnstube,** –n spinning room

der **Spott** ridicule, mockery

die **Sprache,** –n language; die **Sprachforschung,** –en linguistic research; der **Sprachgebrauch,** "e usage; **sprachlich** linguistic; **sprachlos** speechless; der **Sprachunterricht** language instruction; **sprachwissenschaftlich** linguistic

der **Spruch,** "e saying

der **Sprung,** "e leap, jump

spüren to feel, experience

der **Staatsbeamte,** –n, –n government official

das **Stadium,** Stadiën phase, stage (of development)

die **Stadtmauer,** –n city-wall

stammen aus to come from, spring from

ständig constant

der **Standpunkt,** –e point of view

die **Stärke** strength, force

starren to stare

statisch static

statt dessen in place of that

statt-finden, a, u to take place

der **Staub** dust

staunen to be amazed at; das **Staunen** amazement

stecken to stick; put

stehen, stand, gestanden to stand; be; **steht** or **steht** geschrieben is written; **stehen-bleiben,** ie, ie (ist) to stop

steigen, ie, ie (ist) to climb

steigern to increase

steil steep

steinern stone, of stone; **steinreich** enormously rich

die **Stelle,** –n place, location; passage; **stellen** to place, put; **Fragen** — ask questions; die **Stellung,** –en position

sterben, a, o (ist) to die; **sterblich** mortal

der **Stern,** –e star; das **Sternbild,** –er constellation

steuern to steer

die **Stiefmutter,** " stepmother

still: der **Stille Ozean** Pacific Ocean

stillen to satisfy

die **Stimme,** –n voice

die **Stimmung,** –en mood, sentiment

der **Stoff,** –e material; die **Stoffmasse,** –n mass of material

stolz proud; der **Stolz** pride

stopfen to stuff, put

stören to disturb, interfere with; die **Störung,** –en disturbance, interference

die **Strafe,** –n punishment

der **Strahl,** –en ray

der **Strand** beach

streben to strive; das **Streben** striving

die **Strecke,** –n stretch, distance

(sich) **streiten,** stritt, gestritten to quarrel; compete; die **Streitigkeit,** –en controversy

streng strict

der **Strom,** "e stream; current, river; das **Stromgebiet,** –e river basin; die **Strömung,** –en current

der **Struktur'fehler,** – structural defect

das **Stück,** –e piece, play

die **Studen'tenliebe** sweetheart of his student days

die **Studier'stube,** –n study

das **Studium,** –iën study

die **Stufe,** –n step; stage, degree, level

stumm silent

(sich) **stürzen** to plunge; rush, fall

suchen to seek, look for, try

die **Südspitze** southern tip

der **Sumpf,** "e swamp

die **Sünde,** –n sin; das **Sündenleben** sinful life; der **Sünder,** – sinner

die **Süße** sweetness

der **Symbol'gehalt** symbolic content; der **Symbol'wert** symbolic value

der **Tadel** criticism, disapproval; **tadeln** to rebuke

das **Tafelland** plateau

das **Tagebuch,** "er diary; data book; die **Tagebucheintragung,** –en diary entry; das **Tageslicht** daylight; **täglich** daily

das **Tal,** "er valley

der **Taler,** – thaler = three marks

der **Tannenwald,** ˝er pine forest
tapfer brave
die **Tasche, –n** pocket
die **Tat, –en** deed, act; action; accomplishment
tätig active; die **Tätigkeit** activity
die **Tatsache, –n** fact
die **Taube, –n** pigeon
die **Technik** technology, engineering; **technisch** technical, technological
der **Teil –e** part; **teilen** to share; **teils** partly, to some extent; **teilweise** partial(ly)
temperament'voll high-spirited, temperamental
die **Temperatur'veränderung, –en** change of temperature
teuer dear; cherished
der **Teufel, –** devil; das **Teufelsgesicht** devil's face; der **Teufelspakt** devil's pact; das **Teufelswerk, –e** work of the devil
textkritisch scholarly
tief deep; extreme; **aufs tiefste** most deeply; **tiefblau** dark-blue; die **Tiefe** depth; der **Tiefpunkt** low point
das **Tier, –e** animal; die **Tierart, –en** species of animals; **tierisch** animal; die **Tierwelt** animal world
der **Tisch, –e** table
der **Titan', –en, –en** Titan
tita'nisch titanic
toben to rage
der **Tod** death; die **Todesstunde, –n** hour of death; **tödlich** fatal; deadly
der **Ton,** ˝e sound; der **Tonfilm, –e** sound film
tot dead; der **Tote, –n, –n** dead person; das **Totenbett** deathbed
tragen, u, a to carry, bear; wear; der **Träger, –** bearer, carrier; representative
die **Tragik** tragedy; **tragisch** tragic, sad; die **Tragö'die, –n** tragedy;

der **Tragö'diendichter, –** writer of tragedies
die **Träne, –n** tear
trapperskalpierend scalping trappers
trauen to trust
der **Traum,** ˝e dream; der **Träumer, –** dreamer; die **Traumwelt** world of fancy
traurig sad
treffen, traf, getroffen to meet
treiben, ie, ie to drive, spur on; drift
trennen to separate
treten, a, e (ist) to step; go
treu true, faithful; loyal
der **Trieb, –e** impulse; urge
der **Tritt, –e** step
trocken dry
die **Trommel, –n** drum
das **Trompe'tenstück(chen), –** piece for trumpets
das **Tropenkrankenhaus** hospital in the tropics
der **Trost** consolation; **trösten** to comfort, console; **tröstlich** comforting
trotz in spite of; — **alledem** in spite of all that
der **Trotz** defiance
trotzdem conj. even though; adv. nevertheless
trüb troubled, sad
die **Truppe, –n** troupe, company
tüchtig able, efficient

übel (übl–) evil; das **Übel, –** evil
üben to practice
überall' everywhere
überein'-stimmen to agree, correspond
überge'ben, a, e to deliver
überhaupt' at all; in general
über'kulturell' supercultural
überlas'sen, ie, a to leave
überle'gen superior (to); das **Überle'genheitsgefühl** feeling of superiority
die **Überlie'ferung, –en** tradition

der Übermensch, –en, –en superman

übernatürlich supernatural

überne'hmen, übernahm, übernommen to take over

überra'schen to surprise

überre'den to persuade

der Überrest, –e remnant, remains

überschrei'ten, i, i to trespass; exceed

überse'hen, a, e to overlook, not notice

überset'zen to translate

die Überset'zung, –en translation

übertrei'ben, ie, ie to exaggerate; die Übertei'bung, –en exaggeration

die Übervölkerung overpopulation, surplus population

überwa'chen to supervise, watch

überwäl'tigend overwhelming

überwin'den, a, u to overcome; surmount

überzeu'gen to convince; überzeugt sein to be convinced; die Überzeu'gung conviction

üblich usual

übrig left over, remaining; das Übrige the rest; übrig bleiben to remain; — lassen to leave

übrigens by the way; moreover

das Ufer, – shore; bank

die Uhr, –en clock; o'clock

um around; — so mehr all the more; — so schlimmer so much the worse; — zu in order to

umar'men to embrace

um-fallen, ie, a (ist) to fall down

umfangreich comprehensive, extensive

umge'ben, a, e to surround; die Umge'bung, –en surroundings

umher-laufen, ie, au (ist) to run around

um-kehren (ist) to turn around

sich um-sehen, a, e to look around

die Unabhängigkeit independence

unaussprechbar unpronounceable

unbedingt absolutely

unbefriedigt unsatisfied, dissatisfied

unbekannt unknown

unbelebt inanimate

unbeschreib'lich indescribable

unbeweglich motionless

undurchdring'lich impenetrable

unentschlossen undecided

unerforscht unexplored

unermüdlich untiring

unerwähnt unmentioned

unfähig unable, incapable

unfruchtbar unfruitful, unproductive

ungeduldig impatient

ungefähr approximately

ungeheuer immense, enormous; Ungeheures enormous things

ungenügend insufficient

die Ungerechtigkeit injustice

ungestört undisturbed

ungewöhnlich unusual

ungewohnt unfamiliar

unglaublich unbelievable

ungleich uneven, unequal

unglücklich unhappy

der Unglücksfall, "e accident

das Universal'genie', –s all-around genius

die Universitäts'feriën (university) vacations; das Universitäts'studium university studies

das Univer'sum universe

unmittelbar immediate

unmög'lich impossible

unnötig unnecessary

das Unrecht injustice

unregelmäßig irregular, erratic

die Unruhe unrest

die Unschuld innocence

unsichtbar invisible

unsinnig absurd

unsterblich immortal

unter– lower

unterbre'chen, a, o to interrupt

unterentwickelt underdeveloped; die Unterentwicklung underdevelopment

der Untergang fall, decline

unter-gehen (ist) to perish, fall; decline

unterhal'ten, ie, a to entertain; **sich** — converse, talk; der **Unterhal'tungswert,** –e entertainment value

unterirdisch underground

die **Unterkleidung** underwear

unterlie'gen, a, e to succumb to

unterneh'men, a, unternommen to undertake, attempt; das **Unterneh'men,** – undertaking; die **Unterneh'mung,** –en undertaking

unterrich'ten to inform

unterscheid'bar distinguishable; **sich unterschei'den,** ie, ie to differ; der **Unterschied,** –e difference

die **Unterstützung** support

untersu'chen to investigate, examine; die **Untersuchung,** –en examination; investigation

unterzei'chnen to sign

unübertreffbar unsurpassable

ununterbrochen uninterrupted

unverdient undeserved

unvergessen unforgotten

unverständlich incomprehensible, unintelligible

unvollendet unfinished

unwichtig unimportant

unwillkürlich involuntarily

unwissenschaftlich unscientifically

unzufrieden dissatisfied; die **Unzufriedenheit** dissatisfaction

uralt ancient

die **Uraufführung** first performance, premiere

die **Urmythe** original myth

die **Ursache,** –n cause

der **Ursprung** origin; **ursprünglich** originally; das **Ursprungsdatum,** – daten date of origin

urteilen to judge

der **Urwald,** "er primeval forest

usw. = **und so weiter** and so on

die **Vakuumröhre,** –n vacuum tube

v. Chr. (**vor Christus**) B. C.

die **Verallgemeinerung,** –en generalization

verändern to change

verantwortlich responsible, accountable

die **Verarbeitung** working up

verarmt (*p.p.*) impoverished

verbergen, a, o to hide

verbieten, o, o to forbid, prohibit

verbinden, a, u to connect, join, combine; die **Verbindung,** –en connection; combination

verbitten, verbat, verbeten to decline

verbleibend remaining

verbrauchen to use up

das **Verbrechen,** – crime; der **Verbrecher,** – criminal

verbreiten to spread; die **Verbreitung** circulation

verbrennen, verbrannte, verbrannt to burn

verdammen to condemn; damn; die **Verdammung** condemnation

die **Verdammnis** damnation

verdanken to owe

verdecken to cover up

verdienen to deserve; earn; der **Verdienst,** –e merit, deserts

verdoppelt doubled

verdrängen to displace

verdunkeln to darken

verehren to admire; die **Verehrung,** –en admiration, worship

vereinigen to combine; die **Vereinigten Staaten** the United States; die **Vereinigung** combination; fusion

verengen to narrow

verfassen to compose, write; der **Verfasser,** – author, writer

die **Verfeinerung** refinement

verfolgen to follow; pursue; trace

die **Verfügung;** zur — stehen to be at one's disposal

verführen to seduce

das **Vergangene** past; die **Vergangenheit** past

vergeben, a, e to forgive

vergeblich in vain
die Vergebung forgiveness
vergehen, verging, vergangen (ist) to pass
vergessen, a, e to forget; vergeßlich forgetful
der Vergleich, –e comparison; vergleichbar comparable; vergleichen, i, i to compare; vergleichend comparative
das Vergnügen pleasure; vergnügt happy, gay
vergrößern to enlarge
verhältnismäßig relatively
sich verheiraten to marry, get married
verhelfen zu to help (a person) to get
verherrlichen to glorify; die Verherrlichung glorification
verhindern to prevent
der Verkauf, ¨e sale; verkaufen to sell
der Verkehr communication
die Verkündigung, –en proclamation, promulgation
verlangen to require, demand, ask; das Verlangen desire
verlassen, ie, a to leave
der Verlauf course
verleben to spend
der Verleger, – publisher
vermehren to increase
vermeiden, ie, ie to avoid
vermitteln to convey
das Vermögen, – means, wealth, property, fortune
vernachlässigen to neglect
verneinen to deny; verneinend negative; die Verneinung negation, denial
die Vernichtung, –en annihilation, destruction; der Vernichtungskrieg, –e war of annihilation
die Vernunft reason
veröffentlichen to publish; die Veröffentlichung, –en publication
verraten, ie, a to disclose, betray

verschieden various
verschlossen (p.p.) closed, locked
verschuldet indebted, having debts
verschwinden, a, u (ist) to disappear
versichern to assure
versinken, a, u (ist) to sink; disappear; versunken (p.p.) lost
der Verstand understanding, intellect; verständlich intelligible; understandable; das Verständnis understanding
verstehen, verstand, verstanden to understand
verstummen to become silent; cease
der Versuch, –e attempt; experiment; versuchen to try; die Versuchs'apparatur', –en experimental apparatus
versunken (p.p.) absorbed, lost
verteilen to distribute, hand out
vertreiben, ie, ie to drive away
vertreten, a, e to represent; der Vertreter, – representative
verunglücken (ist) to meet with an accident
verursachen to cause
die Verwaltung administration, management
(sich) verwandeln to change, transform
verwandt related; allied; der Verwandte, –n, –n relative
verwechseln to confuse
verweichlicht (p.p.) effeminate; weak
verweisen, ie, ie to refer
verwenden to employ, use
die Verwirklichung realization
verwundet (p.p.) wounded
verzweifelt desperate, in desperation
der Vetter, – cousin
vielseitig many-sided; varied; die Vielseitigkeit versatility
vieltönig in many tones
vielzitiert much quoted

die **Villa,** –en villa, suburban residence

der **Vizekönig,** –e viceroy

der **Vogel,** ⁀ bird

das **Volk,** ⁀er people, nation, race; die **Völkerkunde** ethnology, anthropology; das **Volksbuch,** ⁀er chapbook; die **Volksdichtung,** ⁀en popular poetry; die **Volksklasse,** –n class of people; die **Volkskunst,** ⁀e folk-art; das **Volkslied,** –er folk-song; das **Volksmärchen,** – (folk-) fairy tale; **volkstümlich** popular; die **Volkswirtschaft** economics

vollbring'en, vollbrachte, vollbracht to accomplish

vollen'den to complete; sich — to be completed, consummated; die **Vollen'dung** completion, perfection

vollkommen complete, entire

voraus' ahead

voraus'-bestimmen to predict

voraus'-sagen to predict

voraus'-sehen to foresee

vorbei'-streifen (ist) to pass by

vor-bereiten to prepare; rehearse

vor-bringen to advance

vorchristlich pre-Christian

der **Vorfahr,** –en, –en ancestor

der **Vorgänger,** – predecessor

vorhan'den sein to be available, be present

der **Vorhang,** ⁀e curtain

vorher' before; **vorher'gehend** preceding

vor-kommen, a, o (ist) to happen; be found, appear; occur

vorläufig for the time being

vor-lesen, a, e to read (aloud)

der **Vorsaal,** ⁀e entrance hall

vor-schlagen, u, a to suggest

vorsichtig cautious

vorsokra'tisch pre-Socratic

das **Vorspiel,** –e prologue

sich **vor-stellen** to introduce oneself; to imagine; die **Vorstellung,** –en concept, idea; performance

der **Vorteil,** –e advantage

vortrefflich excellent

der **Vorwurf,** ⁀e reproach; — **machen** to reproach

die **Vorzeit,** –en remote past

vorzüg'lich excellent

vulgär' vulgar, common

wachsen, u, a (ist) to grow; das **Wachstum** growth

die **Waffe,** –n weapon

der **Wagen,** – carriage, coach

wagen to venture, dare

wählen to choose, elect

der **Wahnsinn** madness

wahr true

während *prep.* during; *conj.* while

wahrhaft truly; **wahrschein'lich** probably

der **Wald,** ⁀er forest; das **Waldesdunkel** forest gloom; die **Waldesnacht,** ⁀e forest night

die **Wand,** ⁀e wall

der **Wanderer,** – hiker; **wandern** to wander; migrate

die **Wange,** –n cheek

die **Waren** (*pl.*) goods

die **Wärme** heat temperature

warmherzig warm-hearted, softhearted

was what, which; — **für ein** what kind of a

der **Wasserbauingenieur,** –e hydraulic engineer

wecken to awaken, rouse

weder . . . noch neither . . . nor

wegen because of; for the sake of

weg-gehen (ist) to go away

weg-werfen, a, o to throw away; drop

sich **wehren** to defend oneself

weiblich feminine

sich **weigern** to refuse

das **Weihnachtsfest** Christmas holidays

die **Weise,** –n manner; habit

weisen, ie, ie to show

weit far, distant; **weiter** farther;

further; additional; **weiter** (*with verb*) continue to

weiter-arbeiten continue to work

weiter-bestehen to continue to exist, go on; das **Weiterbestehen** (continued) existence

weiter-bringen to further, advance

sich **weiter-entwickeln** to develop (further); die **Weiterentwicklung** (further) development

weiter-gehen (ist) to go on

weiter-klettern to climb on

weiter-leben to live on

weitreichend far-reaching

die **Wellenlänge** wave length

die **Weltanschauung,** –en (philosophical) conception of the world; die **Weltbeschreibung,** –en description of the world; der **Weltentdecker,** – world discoverer; der **Welterfolg,** –e world-wide success; die **Welterklärung,** –en explanation of the world; die **Weltgeltung** world importance; **weltlich** worldly, secular; das **Weltreich,** –e world-dominion; der **Weltruhm** world-wide fame; die **Weltsendung,** –en world mission; der **Weltstaat,** –en world state, global state; die **Weltstadt,** ⁻e metropolis; der **Weltteil,** –e part of the world, continent; **weltweit** worldwide

die **Wende** turn

sich **wenden an, wandte, gewandt** to turn to

wenig little, few; –er less; immer –er less and less; –stens at least

wenn if; — auch even though

wer who; he who

werfen, a, o to throw

das **Werk,** –e work, undertaking

wert worth; der **Wert,** –e value; **wertlos** worthless; **wertvoll** valuable

das **Wesen,** – nature, character; being, creature; **wesentlich** essential, fundamental

weshalb why

westlich western

wichtig important; das **Wichtige** that which is important; die **Wichtigkeit** importance

wider-spiegeln to reflect

widerspre′chen, a, o contradict; der **Widerspruch** opposition

widmen to devote

der **Wiederauf′bau** reconstruction

die **Wiederentdeckung,** –en rediscovery

die **Wiedererweckung,** –en reawakening

wieder-gewinnen, a, o to regain, recover

wiederho′len to repeat; **wiederholt′** repeatedly

wiederum again; on the other hand

Wiener Viennese

wieso′ why

wieviel′ how much, how many

die **Wildnis,** –se wilderness; jungle

das **Wildstier,** –e wild bull

der **Wille** will; die **Willenskraft** will-power; **willig** willing

wirken to operate, function; impress; **wirklich** real; true; die **Wirklichkeit,** –en reality; die **Wirkung,** –en effect

wirtschaftlich commercial, economic(al); die **Wirtschaftsmacht,** ⁻e economic power

das **Wirtshaus,** ⁻er inn

das **Wissen** knowledge, learning; die **Wissenschaft,** –en science; der **Wissenschaftler,** – scientist, scholar; **wissenschaftlich** scientific; der **Wissensdurst** thirst for knowledge

der **Witz,** –e joke; **witzig** witty

die **Woche,** –n week; **wochenlang** for weeks

wohin′ where

wohl indeed; well; no doubt; probably

das **Wohl** well-being; **wohlverdient** well-deserved; der **Wohltäter,** – benefactor

wohnen to live; die **Wohnung,** –en apartment

die **Wolke,** –n cloud; **wolkenlos** cloudless

die **Wortbildung,** –en word formation; das **Wörterbuch,** ⸚er dictionary; **wörtlich** literally

das **Wunderkind,** –er prodigy; sich **wundern** to wonder, be surprised

der **Wunsch,** ⸚e wish

die **Würde,** –n dignity

die **Wüste,** –n desert

die **Wut** rage, fury; der **Wutausbruch,** ⸚e burst of fury, fit of temper; **wüten** to rage

die **Zahl,** –en number

zahlen to pay

zählen to count, number; **zahlenmäßig** numerically; **zahlreich** numerous

der **Zahn,** ⸚e tooth

der **Zarensohn,** ⸚e son of the Czar; die **Zarin** Czarina

zart tender; **zärtlich** tender, loving

der **Zauberberg** Magic Mountain; das **Zauberbuch,** ⸚er magic book; der **Zauberer,** – magician; die **Zauberkraft,** ⸚e magic power; der **Zauberkreis,** –e magic circle

z.B. = **zum Beispiel** for example

zeichnen to draw; die **Zeichnung,** –en drawing

zeigen to show, demonstrate; sich — be evident

die **Zeile,** –n line

der **Zeitabstand,** ⸚e difference of time; das **Zeitalter** era, generation, age; **zeitgebunden** bound to its time; der **Zeitgenosse,** –n contemporary; **zeitgenössisch** contemporary; die **Zeitlang;** eine — for a time; der **Zeitraum,** ⸚e space of time, period; die **Zeitrechnung,** –en era; die **Zeitschrift,** –en periodical

die **Zeitung,** –en newspaper; der **Zeitungsarti'kel,** – newspaper article

das **Zentrum** center

zerbrechen, a, o to break

zerlegen to analyze

zerreißen, i, i to tear to pieces

zerstören to destroy; die **Zerstö'-ung,** –en destruction; die **Zerstörungswut** destructive mania; vandalism

zerstreuen scatter

ziehen, zog, gezogen to pull, draw; move, travel

das **Ziel,** –e goal, aim; **ziellos** aimless

ziemlich rather

das **Zitat',** –e quotation; **zitie'ren** to quote

der **Zitteraal,** –e electric eel

der **Zoll,** –e inch

der **Zorn** wrath; **zornig** angry

zu-bringen to spend

zuerst' at first

der **Zufall,** ⸚e chance; accident; **zufällig** by chance, accidental; **zufälligerweise** by chance

zufrie'den satisfied

zu-geben, a, e to admit

der **Zuhörer,** – listener; (*pl.*) audience

die **Zukunft** future; **zukünftig** future

zu-lassen, ie, a to admit

zunächst' first of all, to begin with

zu-nehmen, a, zugenommen to increase

zurecht'-machen to prepare, make ready

zurück'-halten to hold back; restrain

zurück'-kehren (ist) to return

zurück'-legen to cover

das **Zurück'sinken** relapsing

zurück'-treiben, ie, ie to drive back

sich **zurück'-ziehen,** zog zurück, zurückgezogen to withdraw

zusam'men-brechen, a, o to collapse

zusam'men-bringen (brachte, gebracht) to bring together; raise

der **Zusam'menbruch,** ⸚e collapse

zusam'men-fassen to combine

der **Zusam'menhang,** ⸚e connection, relationship

das Zusam'menwirken coöperation
zu-schreiben, ie, ie to attribute to
zu-sehen, a, e to look on, watch
der Zustand condition; state, position
zuvor' before
zu-ziehen, zog zu, zugezogen to
draw
zwar to be sure, it is true

der Zweck, –e purpose
zweieinhalb two and one half
der Zweifel, – doubt; zweifelhaft
dubious; zweifeln to doubt
der Zweig, –e branch
zweit– second; zweitens secondly;
zweitoberst second from the top
der Zwerg, –e dwarf
zwingen, a, u to force, compel